L'arbitrage et la médiation

XAVIER LINANT DE BELLEFONDS

Professeur agrégé des facultés de droit
Président d'honneur de l'Association française de droit
de l'informatique et de la télécommunication (AFDIT)

ALAIN HOLLANDE

Avocat à la Cour
Président du Centre de médiation et d'arbitrage
des techniques avancées (ATA)

D1205628

DES MÊMES AUTEURS

Pratique du droit de l'informatique, Delmas, Dalloz, 5ᵉ éd., 2002.

ISBN 2 13 053351 5

Dépôt légal — 1ʳᵉ édition : 2003, avril

© Presses Universitaires de France, 2003
6, avenue Reille, 75014 Paris

INTRODUCTION

À la fin de l'Ancien Régime, Jousse dans son *Traité des arbitrages et compromis* définissait la nature de l'arbitrage et en soulignait les avantages : « La manière de terminer les procès par la voie des arbitres est une des plus utiles et des plus avantageuses pour le bien public, lorsque les arbitres y emploient toute la diligence nécessaire, et toute la fermeté requise pour terminer promptement les affaires. Ils peuvent devenir par là les juges (...) de toutes les personnes raisonnables ; surtout à présent où il y a tant de dangers à avoir des procès, et où il en coûte de si gros frais pour les faire terminer, outre les peines et les fatigues que cela occasionne, et l'incertitude de l'événement, qui sont tels aujourd'hui qu'il n'y a personne qui ne doive désirer s'en rapporter à des arbitres, plutôt que de plaider. »

S'il est vrai que le droit des modes alternatifs de règlement des litiges (MARL) que sont l'arbitrage et la médiation est devenu plutôt complexe, les considérations de bon sens exprimées par le jurisconsulte orléanais restent toujours valables et guideront nos propos introductifs : quelle est la particularité de l'arbitrage, notamment par rapport à la médiation, quels sont ses avantages et inconvénients, enfin quelle évolution historique a-t-il connue ?

I. – La notion d'arbitrage

L'arbitrage est donc un MARL consistant à recourir à une ou plusieurs personnes privées choisies par les

3

parties pour obtenir une décision impérative appelée sentence arbitrale.

1. **Arbitrage politique et arbitrage juridique.** L'arbitrage au sens juridique exclut l'utilisation de ce terme dans son sens large, appliqué à différents secteurs de la vie économique ou politique (arbitrage cambiaire, arbitrage de l'article 5 de la Constitution, arbitrage du préfet dans certains conflits envisagés par les lois de décentralisation depuis 1983-1984). Cette exclusion doit être encore plus nette lorsque le législateur utilise à tort le terme d'arbitrage en visant une procédure de conciliation qui ne comporte même pas un arbitrage proprement dit : le Conseil d'État a ainsi rectifié à plusieurs reprises la qualification erronée d'arbitrage par une loi (loi de 1946 réglant les litiges entre EDF-GDF et concédants, loi de 1970 relative à l'indemnisation des rapatriés d'outremer, etc.).

Il faut également écarter l'arbitrage de nature interétatique qui se présente comme une voie d'apaisement des conflits entre États. L'existence de semblables arbitrages est attestée depuis les époques les plus reculées, entre les cités grecques par exemple ; l'histoire plus proche en fournit des exemples illustres tels l'arbitrage rendu par Saint-Louis entre les Puissances mongoles, celui du pape Alexandre VI, en 1493, partageant le monde entre Espagnols et Portugais ou enfin les accords d'Alger créant le 19 janvier 1981 le tribunal des différends irano-américains. En effet, la notion purement juridique d'arbitrage implique que les États, lorsqu'ils sont concernés par un différend portant sur des intérêts commerciaux, acceptent de renoncer à leurs prérogatives pour se soumettre à la décision d'un juge comme le feraient de simples personnes privées.

Ainsi limitée à son acception de droit privé, l'institution de l'arbitrage se distingue en outre essentiellement – de la justice étatique, d'une part ; de certains mécanismes juridiques voisins entre personnes en conflit d'intérêts, d'autre part.

2. **Arbitrage et justice étatique.** – La caractéristique fondamentale de l'arbitrage est la soustraction aux tribunaux d'État de litiges dont ils devraient normalement connaître suivant les règles de compétence du droit commun.

Il est vrai que la justice arbitrale, après s'être fortement démarquée de la justice étatique, tend à se rapprocher de cette dernière par le fait qu'elle s'institutionnalise : ses règles se stabilisent, sa nature juridictionnelle est définitivement acceptée et le recours à cette forme de règlement des conflits se développe. D'un autre côté, la justice étatique manifeste une tendance à faire une place croissante à des démarches typiques de l'arbitrage : recherche de l'équité ou de la solution la plus propre à maintenir chacun des plaideurs dans ses capacités industrielles ou commerciales sans appliquer pleinement les rigueurs de la loi.

Néanmoins, les oppositions restent essentielles et servent de critères clairs de différenciation : le juge étatique est seul détenteur de l'*imperium,* pouvoir délégué par la puissance publique de mettre la formule exécutoire dans ses décisions, tandis que la sentence de l'arbitre reste subordonnée dans son exécution à la bonne volonté des parties en présence ou à l'*exequatur* du juge étatique qui lui confère force exécutoire.

3. L'arbitrage et les notions voisines.

A) *La conciliation et la médiation.* – La conciliation est un MARL simple dans son principe : l'accord des parties s'obtient avec l'aide d'un tiers appelé conciliateur. Cet accord est le plus souvent concrétisé dans un procès-verbal de conciliation signé par les parties et le conciliateur.

Les principaux avantages de la conciliation peuvent ainsi être résumés :

– la conciliation est mise en œuvre rapidement ; elle est peu onéreuse ;
– la procédure suivie est informelle, et par conséquent souple ;
– la conciliation est une procédure généralement acceptée par les rares pays qui refusent l'arbitrage.

En revanche les effets de la conciliation sont limités : le procès-verbal de conciliation, à la différence de la sentence arbitrale, n'est pas une décision juridictionnelle et ne lie donc pas les parties. Pour être efficace, la solution proposée par le conciliateur doit être acceptée par les parties.

B) *L'expertise.* – L'expertise est l'avis donné par une personne connue pour ses compétences, l'expert, sur un point technique relatif à un litige. Le risque de confusion provient de ce que, dans le cadre de litiges faisant intervenir des aspects techniques, des experts inscrits sur les listes judiciaires sont fréquemment choisis comme arbitres par les parties.

La principale différence réside dans l'objet de ces deux types de procédure. Alors que l'arbitrage vise la régulation d'un conflit entre les parties, l'expertise permet seulement de procéder à des constatations ou analyses et de fournir un avis qui ne s'impose pas au juge. Cette opposition trouve sa traduction directe dans le principe que l'expert ne doit jamais porter d'appréciation d'ordre juridique (art. 238 Nouveau Code de procédure civile, ci-après « NCPC »).

L'expertise judiciaire ne peut évidemment être confondue avec l'arbitrage puisqu'elle est demandée par un juge et que l'arbitrage est donc *a priori* exclu.

C) *La transaction*. – La transaction est une convention par laquelle les parties mettent fin à un litige né ou à naître en effectuant des concessions réciproques (art. 2044 Code civ.). La transaction a l'autorité de la chose jugée entre les parties (art. 2052 Code civ.). Il est fréquent que la rédaction du contrat de transaction soit confiée à un tiers, en raison des capacités techniques ou juridiques ou simplement de la neutralité de ce dernier ; cette intervention ne fait pas pour autant passer la transaction sur le terrain de l'arbitrage.

Ces deux notions s'opposent par leur nature : la transaction est un mode conventionnel de règlement des litiges, alors que l'arbitrage en est un mode judiciaire. De plus, ce sont les parties elles-mêmes qui mettent fin à leur litige en s'accordant.

Ceci entraîne des conséquences importantes : le pouvoir de transiger n'est pas le même que celui de compromettre (c'est-à-dire de passer une convention d'arbitrage) qui implique la capacité de se plier aux résultats d'une sentence non encore connue. De même les modes de contestation ne sont-ils pas identiques : la transaction peut être annulée, dans certains cas particuliers, comme un contrat irrégulier, tandis qu'une sentence arbitrale ne peut être contestée que par le moyen d'une voie de recours.

D) *La procédure simulée ou « mini-trial ».* – La procédure simulée du procès fictif est un mode amiable de règlement des litiges comportant deux phases contrastées : dans un premier temps, les conseils des parties procèdent à des échanges de mémoires et de pièces et « plaident » devant les représentants des parties, puis, dans une seconde phase, des discussions ont lieu entre ces représentants en vue d'aboutir à une transaction. À cette occasion, les parties peuvent se rendre compte des difficultés d'argumentaire auxquelles donneraient lieu des débats devant le juge et de ce fait être poussées à la conciliation. Cette procédure, originaire des États-Unis n'est utilisée que depuis peu de temps en Europe.

La distinction entre arbitrage et procédure simulée est nette : si en apparence le déroulement procédural de l'arbitrage et la procédure simulée sont proches, la seconde a la nature juridique de la conciliation.

E) *L'arbitrage de l'article 1592 du Code civil .* – Aux termes de cet article « le prix de la vente [...] peut être laissé à l'arbitrage d'un tiers ». Cette solution est admise pour d'autres contrats à titre onéreux.

Afin de tenir compte de l'évolution de l'environnement économique (fluctuations à court ou long terme) les parties conviennent de faire fixer un élément essentiel du contrat (le prix en l'occurrence) par un tiers. Le prix est ainsi, sinon déterminé, du moins déterminable, ce qui fait échapper le contrat à la nullité tout en lui permettant de s'adapter aux circonstances.

L'intervention de ce tiers est-elle un arbitrage ? La réponse doit être négative. Dans ce cas, le tiers ne fait que compléter le contrat, il n'intervient pas dans le cadre d'un litige et sa fonction ne sera donc pas juridictionnelle (« L'arbitrage suppose une contestation déjà née que les arbitres ont reçu mission de juger », Cass. civ. 2e, 9 juin 1961, *Bull. civ.,* 1961, II, n° 436). Les parties sont certes en désaccord sur le prix puisqu'elles recourent à l'estimation par un tiers, mais ce désaccord n'est pas en soi un litige. La mission consistant à définir les limites de l'engagement des parties est un prolongement de leur volonté et constitue l'objet d'un mandat d'intérêt commun. Il en résulte que la décision du tiers n'est ainsi pas susceptible d'*exequatur*.

Pour autant, si un litige survient effectivement, le juge n'est pas lié par la qualification donnée par les parties et le renvoi à l'estimation par un tiers peut revêtir toutes les caractéristiques d'une authentique clause compromissoire. Il faudra alors rechercher la véritable intention des parties.

F) *L'arbitrage* ICANN *sur les noms de domaines.* Le développement des réseaux ouverts (Internet) a conduit à la multiplication des noms de domaines et donc des risques de confusion entre des noms de domaine similaires ou lexicalement proches. Un certain nombre d'organismes (l'OMPI est le plus important) proposent aux prétendants à des noms de domaines en conflit de se prononcer en faveur du titulaire le plus apte tel qu'il résulte de l'application de règles instituées par l'organisme international de gestion des noms de domaines, l'ICANN. Les décisions rendues par les arbitres désignés par ces organismes ne sont pas de véritables arbitrages mais des mesures d'ordre technique que les intéressés peuvent toujours ignorer en poursuivant le litige devant les tribunaux compétents.

II. – L'intérêt de l'arbitrage

1. **Les avantages de l'arbitrage.** – Les promoteurs de l'arbitrage avancent volontiers que les avantages de cette formule tiennent à sa rapidité, sa discrétion, sa souplesse et à l'utilisation pertinente de la compétence professionnelle des arbitres.

A) *La rapidité*. – L'arbitrage est en principe plus rapide que la justice étatique pour la raison essentielle que les parties peuvent enfermer l'arbitrage dans un certain délai, ce qui est exclu pour la justice étatique, laquelle est prisonnière de ses règles de procédure et surtout victime de son encombrement. Cette rapidité est moins certaine dans les arbitrages internationaux qui mettent en jeu des intérêts très importants et confrontent des traditions juridiques souvent antithétiques, ce qui prend du temps (cumul des lourdeurs des procédures, multiplication des documents en plusieurs langues, etc.)

B) *Le caractère confidentiel*. – La discrétion est sans doute l'avantage le plus apprécié des milieux d'affaires, spécialement à une époque où les médias s'emparent de la moindre information au risque de condamner tout arrangement. Cette pratique de confidentialité, généralement observée par les parties ainsi que par les arbitres, a pour conséquence que peu de décisions arbitrales sont portées à la connaissance du public. La jurisprudence arbitrale publiée se limite, sauf exception (par exemple, arbitrages de la CCI), aux décisions dont l'histoire judiciaire s'est compliquée d'un recours devant la justice d'État (appel ou recours en annulation).

C) *La souplesse*. – La souplesse de l'arbitrage n'est pas douteuse puisque, dans le cas normal, d'une part, les parties renoncent aux aspects les plus rigides de la procédure et que, d'autre part, surtout lorsque les arbitres ont reçu mission de juger en amiables compositeurs, ils peuvent rechercher une solution délibérément équilibrée. Les arbitres, choisis parmi des professionnels sensibilisés aux particularités en cause dans chaque litige, répugnent à mettre l'intégralité des torts à la charge de la partie perdante lorsque celle-ci n'est pas d'une totale mauvaise foi. Il en résulte, surtout pour l'arbitrage interne, un « recentrage » assez fréquent, l'unanimité des arbitres dérivant de concessions mutuelles, qui joue un peu le rôle d'une assurance grâce à laquelle un partenaire sait à l'avance que, même s'il a tort, sa condamnation sera plus mesurée que devant les tribunaux.

D) *La compétence technique des arbitres*. – La compétence technique des arbitres joue également un rôle décisif : le choix de ces derniers, soumis au principe de liberté, s'effectue en grande partie sur la connaissance qu'ils ont des problèmes soulevés par le litige ou du secteur d'activité en cause (informatique, propriété littéraire et artistique, etc.). En faisant ainsi élection de personnes provenant de la même famille professionnelle, les parties peuvent espérer, d'une part, faire l'économie d'expertises pratiquement inévitables devant le juge, d'autre part, instaurer un certain climat de « convivialité », permettant dans le meilleur des cas de conserver entre elles des relations d'affaires pendant et après l'arbitrage.

Il faut toutefois nuancer ce propos par l'observation suivante : le droit de l'arbitrage, en se développant, est devenu extrêmement complexe et souvent, dans les arbitrages collégiaux, les arbitres désignés font choix d'un troisième arbitre à cause de ses connaissances juridiques et de son aptitude à rédiger une sentence formellement correcte, valablement motivée et n'offrant pas de prise à une éventuelle annulation.

E) *L'adoption d'un terrain neutre*. – Dans le domaine du commerce international vient s'ajouter une considération d'importance : si un litige oppose deux sociétés dans un antagonisme nord-sud (pays économiquement avancés – pays assistés) ou une concurrence technologique (Occident - Extrême-Orient), le risque que joue inconsciemment dans un sens ou dans l'autre le nationalisme des juges compétents *ratione loci,* quelles que soient par ailleurs leur qualité professionnelle et leur indépendance politique, n'est pas absent. Le recours à l'arbitrage sera alors une garantie de neutralité.

2. Inconvénients.

A) *La relative cherté*. – Figurait autrefois parmi les avantages de l'arbitrage son faible coût. Si cette observation reste exacte dans le contexte de la *Common law* où les procédures judiciaires peuvent s'étirer considérablement par la multiplication des moyens tels que *discovery, motion, deposition, examination, cross examination,* etc., et donc être génératrices de frais considérables, il convient de la nuancer pour les droits continentaux, dans lesquels les procédures judiciaires sont moins consommatrices de temps et donc d'argent.

Un exemple de barème moyen peut guider l'esprit, celui de l'ATA, les pourcentages par arbitre étant calculés sur les sommes totales en jeu :

Jusqu'à 30 000 €	8 % avec minimum 1 500 €
De 30 000 à 75 000 €	5 %
De 75 000 à 150 000 €	4 %
De 150 000 à 300 000 €	3 %
De 300 000 à 750 000 €	1,5 %
De 750 000 à 1 500 000 €	1 %
De 1 500 000 à 7 500 000 €	0,3 %

Lorsque les enjeux sont très importants, les pourcentages sont naturellement plus faibles.

La relative cherté de l'arbitrage présente l'avantage indirect d'encourager les parties à recourir à des procédures de règlement de leur litige moins onéreuses, notamment la conciliation.

B) *Le risque de moindre impartialité ?* – Dès que la procédure arbitrale repose sur la constitution d'un collège, c'est-à-dire s'éloigne de la formule de l'arbitre unique, la moins utilisée, chaque partie désigne donc une personnalité. Le risque de l'*arbitre-partisan* ne se profile-t-il pas alors, chaque arbitre pouvant se montrer plus sensible à la version des faits de la partie qui a opéré sa désignation ? Ce sujet est d'autant moins théorique que les jurisprudences anglo-saxonnes ont reconnu la licéité de l'arbitre-partisan.

C) *Les incertitudes sur l'arbitrabilité de certains litiges.* – Le développement des secteurs avancés dans le domaine de la technologie : télécommunication, information, biotechnologie, etc., conduit à poser des problèmes juridiques nouveaux. Le principe étant que toute nouvelle matière juridique est prioritairement absorbée par le droit commun, peut se poser pendant quelque temps le problème de savoir si un litige est arbitrable ou s'il relève exclusivement de la compétence des tribunaux étatiques lorsque les questions qu'il suscite sont aux frontières de l'ordre public : par exemple, commercialisation de données nominatives, cession de droits d'auteur dans les œuvres multimédias, etc.

III. – Histoire de l'arbitrage

1. De l'Antiquité à la Révolution.

A) *Haute Antiquité.* – Forts de certaines sources qui attestent que l'arbitrage était pratiqué dans la haute Antiquité : (*Iliade,* XVIII, 501 ; Aristote, *Rhétorique,* I, 13, etc.), des auteurs ont prétendu, à la suite du romaniste autrichien Wlassak, que l'arbitrage serait à l'origine du jugement judiciaire.

Cette opinion est assez généralement critiquée (J. Gaudemet, *Histoire des institutions de l'Antiquité*) car on ne voit pas ce qui aurait conduit la partie la plus puissante à accepter une sentence arbitrale défavorable pour elle, en dehors de l'éventualité d'un recours ultime à une justice d'État.

B) *Droit romain.* – Le droit procédural romain, dont l'évolution sert de référence obligée pour la compréhension de la plupart des concepts de la procédure actuelle, a commencé par laisser l'initiative complète de leur procès aux parties : celles-ci devaient se présenter spontanément devant le magistrat (préteur) et ne pouvaient compter que sur elles-mêmes pour l'exécution de la sentence.

On voit que la gestion du litige par l'autorité publique reste centrale, ce qui exclut l'arbitrage au sens moderne.

Au Bas-Empire, en revanche, l'environnement juridique est différent : la procédure *extra ordinem,* système dont la procédure moderne dérive directement (dans lequel le magistrat juge lui-même car la division du procès en deux phases disparaît), va supplanter la procédure formulaire du préteur. Apparaît alors l'institution de l'arbitrage demandé aux *évêques* en marge des juridictions officielles, et ce mode conventionnel de résolution des conflits fournit un antécédent indiscutable à l'arbitrage moderne.

C) *Ancien droit.* – L'ancien droit a connu de nombreuses formes d'arbitrage en raison de facteurs favorables : désir d'échapper aux justices seigneuriales, souci de simplification dans l'enchevêtrement des juridictions, faveur de la doctrine chrétienne pour les arrangements, développement des corps intermédiaires (corporations, villes) et donc d'une fonction de régulation spécifique, stabilité de cellules sociales telles que les communautés villageoises, enfin désir de l'ordre nobiliaire de ne pas donner de publicité à des litiges intra- ou interfamiliaux, etc.

Si le recours pratique à l'arbitrage paraît fréquent au Moyen Âge, la théorie juridique de l'arbitrage est quant à elle floue, d'où une terminologie quelque peu incertaine (arbitre, arbitrateur, amiable compositeur, etc.). Il faut attendre les derniers siècles de l'ancien droit pour que l'institution qui nous intéresse prenne une physionomie un tant soit peu unifiée. On citera les ordonnances de 1510, d'octobre 1535, d'août 1560 et de janvier 1629 qui construisent progressivement le mécanisme moderne des recours contre les sentences arbitrales.

2. De la Révolution à la loi du 15 mai 2001.

A) *Le droit intermédiaire.* – Bien que les anciens parlements aient joué un rôle non négligeable dans l'avènement de la Révolution, et malgré la haute technique atteinte par la jurisprudence française de l'époque, la structure juridictionnelle de l'Ancien Régime reposait fondamentalement sur la quasi-confiscation du pouvoir judiciaire par une partie de l'ordre dirigeant. Aussi les révolutionnaires ont-ils manifesté leur hostilité à l'ancien personnel en exaltant l'arbitrage (les décrets des 16-24 août 1790 sur l'organisation judiciaire confèrent aux juges d'État le titre d' « arbitres publics »...) et en érigeant même le droit de recourir à l'arbitrage en principe constitutionnel (Constitution du 3 septembre 1791).

En revanche le XIXe siècle fut hostile à l'arbitrage, institution pourtant conforme à l'autonomie de la volonté et, partant, adaptée au libéralisme. Cette hostilité était d'abord due aux mauvais souvenirs laissés par la médiocre qualité des arbitrages obtenus sous la Révolution ; puis elle s'est trouvée renforcée par le positivisme étatique, idéologie quasi majoritaire chez les juristes du siècle dernier, et selon laquelle la justice, fonction sociale essentielle, ne peut valablement être rendue que par des fonctionnaires.

B) *La loi du 31 décembre 1925*. – Cette exclusion n'était pas sans gêner la vie économique et commerciale et de multiples arrêts ont tenté d'en limiter les effets en l'interprétant très restrictivement. Mais c'est seulement en 1925, à l'instigation des milieux d'affaires qui avaient en particulier créé en 1923 la Cour d'arbitrage de la CCI pour le commerce international, que la loi a incorporé dans le Code de commerce (art. 631) une disposition rendant la clause compromissoire en principe licite (« Toutefois les parties pourront, au moment où elles contractent, convenir de soumettre à des arbitres les contestations... lorsqu'elles viendront à se produire »).

C) *La Réforme du 14 mai 1980.* – Récemment, le droit de l'arbitrage a été profondément remanié par deux décrets du 14 mai 1980 (arbitrage interne) et du 12 mai 1981 (arbitrage international). Cette réforme a actualisé sur différents points essentiels le droit de l'arbitrage, désormais considéré comme un mode de régulation des conflits privés à part entière :

– la clause compromissoire est devenue une convention arbitrale avec pleine efficacité et dont l'autonomie est admise (lorsqu'elle est nulle, elle n'entache pas de nullité tout le contrat et, surtout, *vice-versa*) ;
– l'impossibilité pour les personnes morales d'être arbitres, faute de quoi de véritables juridictions privées permanentes pourraient apparaître, est de règle ;
– l'instance arbitrale est soumise à certains principes directeurs du procès (art. 1460 NCPC) et l'arbitre est compétent pour statuer sur les limites de son investiture ;
– la sentence doit se conformer aux règles du droit, l'amiable composition devant faire l'objet d'une disposition expresse, et elle doit être motivée en arbitrage interne ;
– les voies de recours ont été simplifiées et réduites à deux : l'appel et le recours en annulation.

Bien que le recul soit encore limité, il est possible d'affirmer que le droit positif de l'arbitrage, que les chapitres suivants se proposent d'exposer, a considérablement bénéficié de cette réforme, en termes de solidité et de stabilité.

D) *La loi du 15 mai 2001.* – L'article 2061 Code civ. a été réformé par la loi 2001-420 du 15 mai 2001 relative aux nouvelles régulations économiques qui a

étendu le domaine de validité de la clause compromissoire à tous les contrats conclus en raison d'une activité professionnelle : artisanat, professions libérales,
agriculture et non plus seulement actes de commerce
et relations entre associés d'une société commerciale.
Demeurent en dehors du champ d'application de
l'article 2061 les contrats de travail et ceux conclus
avec les consommateurs. La prohibition de la clause
compromissoire en matière civile a donc achevé sa
trajectoire.

Chapitre I

LA MÉDIATION

Beaucoup de justiciables regrettent la joute qui a lieu au cours des procédures, qu'elles soient judiciaires ou arbitrales, parfois attisée par les avocats eux-mêmes. Ils préfèrent des formules plus pacifiques qui recherchent le point d'équilibre des intérêts plutôt que le tout ou rien, qui prennent en compte l'équité et le bon sens plutôt que l'application directe du droit.

La réponse à cette demande peut être la médiation.

La médiation repose sur une tradition ancienne qui amenait les parties en conflit à s'adresser à un tiers pour lui demander son avis et pour les aider à mettre fin à leur désaccord. Ce tiers pouvait être le seigneur, le curé, le maire, l'instituteur ou le chef de la corporation.

Inévitablement, la dialectique du procès judiciaire ou de l'instance arbitrale repose sur une opposition marquée entre les parties, s'organise sur la base d'un face-à-face agressif et débouche sur une décision judi-ciaire ou une sentence arbitrale désignant un perdant et un gagnant. Beaucoup de personnes engagées dans un différend pensent qu'une solution juste peut être modérée en ce qu'elle traduit un équilibre des intérêts en jeu. Pour y parvenir elles souhaitent pouvoir s'expliquer, comprendre la position de leur partenaire et participer à la recherche d'une voie moyenne.

Dans bien des cas les protagonistes souhaitent, quelle que soit l'issue de leur différend, poursuivre leurs relations dans un climat apaisé ; c'est le cas de bien des relations commerciales, familiales, de voisinage, d'associés dans lesquelles le maintien des rapports s'impose sur le long terme : bailleur-locataire, associés entre eux, membres d'une même famille, etc.

Très souvent la considération de discrétion est déterminante : il faut éviter que les tiers ne soient informés du litige et de son règlement, qu'il s'agisse des proches, des voisins, des fournisseurs ou des clients.

Indiscutablement la médiation peut répondre à ces préoccupations, ce qui explique son émergence sous de nombreuses variantes, publique et privée.

I. – Les différents types de médiation

1. Les médiations légales ou administratives. – Seule la médiation conventionnelle (privée) sera traitée dans le présent chapitre. Néanmoins, pour éviter des confusions, il a paru souhaitable d'évoquer au préalable les différents types de médiation légalement prévues ou organisées par voie administrative, que l'on peut qualifier de publiques.

A) *Conciliation dans le cadre d'une procédure judiciaire.* – Il entre dans la mission du juge de concilier les parties (art. 21 du NCPC). Mais les parties peuvent se concilier elles-mêmes (art. 127 NCPC) au cours de l'instance.

Le juge est maître de l'opportunité de la tentative de conciliation. S'il y a conciliation, à l'initiative du juge ou à celle des parties, un procès verbal est établi qui est entériné par le juge avec force exécutoire.

Divorce et séparation de corps. Le juge est obligé en cas de divorce pour faute ou pour rupture de la vie commune de tenter lui-même une conciliation (art. 1074 et 1104 et s. du NCPC).

Prud'hommes. Le Conseil des prud'hommes ne peut juger un différend qu'après une tentative de conciliation devant un bureau de conciliation (art. R 516 du Code du travail).

Règlement amiable des entreprises en difficulté. Lorsqu'une entreprise industrielle ou commerciale est en difficulté ses dirigeants peuvent demander le règlement amiable et la nomination d'un conciliateur chargé de rechercher un accord avec les créanciers (loi du 10 juin 1994). Une procédure identique existe pour les entreprises agricoles (art. 2351-1 du Code rural).

Conflits collectifs du travail. Les conflits collectifs sont soumis à une procédure conventionnelle de conciliation, à défaut portés devant une commission nationale ou régionale de conciliation (art. L 523-1 du Code du travail).

Baux. Tout litige portant sur les baux d'habitation doit obligatoirement faire l'objet d'une tentative de conciliation devant la commission départementale de conciliation. Une procédure identique existe en matière de baux commerciaux mais ne s'impose pas.

Surendettement. Les personnes physiques de bonne foi se trouvant en situation de surendettement peuvent saisir la commission de surendettement des particuliers qui a pour mission de concilier les parties en vue de l'élaboration d'un plan de redressement (art. L 331 du Code de la consommation).

B) *La médiation judiciaire proprement dite.* – La loi du 8 février 1995 complétée par le décret du 22 juillet 1996, a apporté un fondement légal à la médiation judiciaire qui était auparavant fondée sur la pratique issue de l'application de l'article 21 du NCPC.

L'article 131-1 du NCPC (décret n° 96-652 du 22 juillet 1996, art. 2, *JO* du 23 juillet 1996) précise : « Le juge saisi d'un litige peut, après avoir recueilli l'accord des parties, désigner une tierce personne afin d'entendre les parties et de confronter leurs points de vue pour leur permettre de trouver une solution au conflit qui les oppose. Ce pouvoir appartient également au juge des référés, en cours d'instance. »

Juridictions civiles. La loi a créé une impulsion forte en faveur de la médiation qui s'est développée en matière de conflits individuels et collectifs du travail, en matière familiale, commerciale et qui s'étend progressivement à beaucoup de domaines divers au fur et à mesure que les magistrats et les avocats découvrent l'intérêt de recourir à cette formule.

Médiation pénale. La loi du 23 juin 1996 est venue compléter la loi du 4 janvier 1993 et renforcer le dispositif applicable à la médiation pénale. Le procureur de la république peut recourir à une médiation si une telle mesure et susceptible d'assurer la réparation du dommage, de mettre fin au trouble résultant de l'infraction ou de contribuer au reclassement de son auteur (art. 41-1 du Code de procédure pénale).

Cette formule compte tenu des inadéquations de la justice pénale face au développement de la petite délinquance rencontre un très vif succès depuis 1993 et les instances de médiation se sont multipliées : des maisons de justice et du droit se sont créées à travers la France.

C) *Les médiations sectorielles.* – *Secteur public.* Depuis l'institution en 1973 du Médiateur de la République qui a pour rôle d'être l'intercesseur gracieux entre le citoyen et l'administration il a été créé de nombreux médiateurs dans le secteur public exerçant soit une fonction permanente (médiateur de la ville de Paris, de l'éducation nationale, de la poste) soit une fonction ponctuelle (conflit à la RATP ou à Air France, grève des gardiens de prison, etc.).

Secteur privé. De grande entreprises ayant une clientèle nombreuse telles que les banques ou les assurances ont été amenées à désigner au sein de leur organisation des médiateurs pour recevoir les réclamations de leurs clients.

Domaine international. L'union européenne a installé un médiateur européen chargé d'intervenir dans les conflits entre l'administration communautaire et les usagers.

La liste de domaines où la médiation est envisageable est illimitée dans la mesure où un médiateur peut aussi bien servir à résoudre les problèmes entre voisins de palier qu'entre créanciers et débiteurs, etc. On trouve ainsi le médiateur scolaire, le médiateur du cinéma, le médiateur des postiers ou la médiation de l'inspecteur du travail...

2. **La médiation privée ou conventionnelle.** – La médiation conventionnelle, dite privée, est fondée sur les mêmes principes que la médiation publique : le rejet du procès, l'accord des parties pour y participer, l'intervention d'un tiers, la recherche d'une solution adaptée pour régler un litige. Elle fera l'objet des développements qui suivent.

II. – La médiation conventionnelle

Conciliation-médiation. Pendant longtemps on a utilisé le terme de « conciliation » et ce n'est que dans les années 1970 que le terme de médiation est apparu notamment après l'institution du Médiateur de la République (loi du 3 janvier 1973).

Certains ont soutenu que le conciliateur devait proposer lui-même une solution aux parties alors que le médiateur devait se contenter d'aider les parties à trouver elles-mêmes une solution ; d'autres auteurs ont soutenu l'inverse. Il s'est avéré que ce débat de pure terminologie n'avait aucun intérêt et que la distinction était inutile ; de fait, ce qui a longtemps été appelé conciliation a tendance désormais à se dénommer médiation.

La différence entre les deux termes subsiste artificiellement en matière de procédure civile dans la mesure où, en application de la loi du 8 février 1995 instituant la médiation judiciaire, le juge peut avec l'accord des parties, soit désigner une tierce personne pour des tentatives préalables de conciliation soit, en cours de procédure, tenter de parvenir à un accord entre les parties, et le terme de médiation est alors utilisé.

1. **Définition de la médiation.** – La médiation est un mode de règlement des litiges consistant pour les parties en désaccord, parfois appelées « médiées », à choisir ou faire désigner un tiers appelé médiateur dont la mission est d'aider les parties soit à prévenir un différend soit à le résoudre.

La médiation conventionnelle est organisée soit par les parties elles-mêmes, on parle alors de médiation *ad hoc,* ou par un centre de conciliation au règlement duquel les parties conviennent de se soumettre, il s'agit alors d'une médiation institutionnelle.

Le NCPC ne prévoit aucun dispositif concernant la médiation privée. Les parties sont donc libres d'organiser celle-ci comme elles l'entendent.

Dès lors qu'il s'agit d'un contrat ce sont les règles applicables aux contrats qui s'appliquent. Contrairement à l'arbitrage, la conciliation n'est pas un mode juridictionnel de règlement des litiges : les parties n'ont aucune obligation de suivre les propositions du médiateur et ne sont pas tenues de parvenir à un accord.

2. Fondement juridique de la médiation conventionnelle.

– La médiation conventionnelle ne repose sur aucun autre fondement juridique que le droit des contrats dont le respect (absence de vice du consentement, capacité, objet certain et cause licite, etc.) commande la validité de la convention (art. 1108 Code civ.).

Une convention de médiation se conclut donc dans le cadre de la liberté contractuelle avec pour conséquence qu'elle ne peut porter sur des droits indisponibles et qu'elle ne peut violer des règles d'ordre public.

Elle a pour objet d'organiser les relations entre les parties pour mettre en place un processus de médiation, choisir un médiateur et rechercher de bonne foi un accord.

Si les parties le souhaitent, elles peuvent écarter les règles de droit et convenir qu'elles rechercheront l'accord selon l'équité.

Si une clause de médiation est insérée dans une contrat à l'objet plus vaste elle est considérée comme un contrat autonome qui ne dépend pas de la validité du contrat principal. La Cour de cassation (arrêt du 5 juillet 1989) a admis qu'une clause prévoyant une conciliation préalable à toute action judiciaire était valide et devait être appliquée.

Nonobstant la reconnaissance de la validité des clauses de médiation en vertu du principe de la liberté contractuelle, il faut cependant avoir à l'esprit que, si elles sont toujours valables entre professionnels, elles peuvent donner lieu à contestation entre professionnel et consommateur et être dans certains cas considérées comme des clauses abusives.

3. Les contrats de médiation.

– La médiation n'a pas pour seul objet de régler un litige existant elle peut aussi être utilisée pour anticiper un conflit susceptible de surgir, modifier un contrat ou régler un désaccord sur l'interprétation d'un contrat, la fixation d'un prix ou l'exécution d'une obligation.

Le plus souvent, lors de la signature d'un contrat, il est prévu une clause de médiation visant à mettre en place un procédure de médiation avant toute action judiciaire ; cette clause, appelée clause de conciliation préalable, est, suivant le cas, *ad hoc* ou institutionnelle.

Lorsque les parties ont choisi la médiation institutionnelle la clause renvoie au règlement de médiation ou de conciliation d'un centre de médiation qui désigne le médiateur et organise la procédure en appliquant le règlement. Voici un exemple de clause de ce type :

> « *Tous différends relatifs au présent contrat seront soumis, avant toute procédure arbitrale, à une médiation préalable suivant le règlement de médiation de l'ATA (Centre de médiation et d'arbitrage des technologies avancées) auquel les parties déclarent expressément se référer.*
>
> « *Si la médiation n'a pas abouti au règlement du différend dans le délai convenu, il sera dénoué par voie d'arbitrage suivant le règlement d'arbitrage de l'ATA.* »

Dans le cas de la médiation *ad hoc* la clause est une *convention de procédure* qui prévoit les cas de mise en œuvre, le dispositif de désignation du ou des médiateurs, le processus de médiation, la répartition des honoraires, le délai pour aboutir et toutes les modalités qui sont souhaitées.

Dans le domaine international sont précisés de surcroît : le droit applicable, le lieu de la médiation, la nationalité du médiateur, la langue, les modalités d'exécution.

Lorsqu'un litige ou une controverse interviennent dans le champ prévu pour la médiation une des parties saisit le centre de médiation désigné ou met en œuvre le processus de médiation selon les dispositions de la clause *ad hoc.*

Si un différend intervient entre des parties qui ne sont pas liées par une clause de médiation mais qui souhaitent trouver un accord dans le cadre d'une médiation, celles-ci s'adressent à un centre de médiation ou signent entre elles une convention de médiation.

Dans presque tous les cas les médiateurs chevronnés proposent, en même temps que leur acceptation, la signature d'une convention de médiation qui fixera, outre l'objet du litige à eux soumis, toutes les modalités pratiques (date et lieu des réunions, calendrier, pièces échangées, secrétariat, montant des honoraires, etc.), ceci même lorsqu'une clause de médiation existe, afin de rendre indiscutable le processus de médiation ayant reçu l'accord des parties.

III. – Le médiateur

1. **Le choix du médiateur.** – Comme en matière d'arbitrage il est coutume de dire qu'une bonne médiation dépend de la qualité du médiateur.

Le choix du médiateur n'est pas aisé dans la mesure ou il dépend de la nature et de l'importance du différend et du profil des parties en conflit. Le choix entre médiateur *ad hoc* et institutionnel dépend souvent de l'expérience des parties concernées. La médiation institutionnelle introduit une sécurité dans la mesure où le centre de médiation possède un règlement, une liste de médiateurs favoris, une administration et une pratique de la médiation. À l'inverse la médiation *ad hoc* permet de concevoir un processus sur mesure adapté à l'affaire et à la personnalité du médiateur.

Les parties peuvent choisir leur médiateur elles-mêmes ou le faire désigner par un tiers (administration, président du TC ou du TGI, ou personne conventionnellement déterminée). Il est souvent établi une liste de 4 ou 5 personnes proposées par l'une des parties à l'autre qui choisit celle qui lui convient.

Le profil (technicien, juriste, expérience) en fonction de la nature du litige doit être arrêté avant le choix de la personne elle-même. Dans tous les cas, celui-ci doit remplir des conditions impératives :

– être indépendant et libre de toute attache avec les parties ;
– être bon psychologue et maîtriser la conduite des négociations ;
– jouir d'une autorité individuelle ;
– être apte à acquérir rapidement la confiance des parties et de leurs conseils ;
– être d'une grande probité et d'une complète impartialité.

Il est évidemment souhaitable qu'il connaisse la médiation, qu'il soit juriste et qu'il ait des compétences dans le domaine traité.

Il est usuel de recourir à des anciens magistrats, à des arbitres, à des avocats aptes à se dégager de la dialectique judiciaire ou à des personnes ayant suivi une formation de médiateur.

2. **Le rôle du médiateur.** – Ainsi qu'il a été dit, un médiateur n'a aucun pouvoir d'instruction, ne peut pas trancher le litige et ne peut imposer une solution.

Tout l'art consiste à écouter les parties, dépassionner les tensions, confronter les prétentions, faciliter les débats, éclairer les parties, relever les obstacles, déceler les intérêts communs, imaginer les solutions acceptables et démonter l'intérêt d'aboutir à un accord.

IV. – Le processus de la médiation

1. L'absence de formalisme. – La médiation conventionnelle n'ayant aucun cadre juridique, les parties ont la liberté d'organiser la procédure, souvent dénommée *processus,* comme elles l'entendent. Lorsqu'il s'agit d'une médiation institutionnelle elle se trouve alors encadrée par le règlement de médiation du centre de médiation qui s'impose aux parties et au médiateur.

La caractéristique de la médiation conventionnelle est qu'elle n'est soumise à aucun formalisme ce qui permet de retenir un processus très adapté aux circonstances mais empêche de retenir une méthodologie précise.

La décision de recourir à la médiation peut intervenir avant tout conflit (clause de médiation insérée dans un contrat) ou après sa survenance. Il est alors établi une convention de médiation.

La mise en œuvre de la médiation ne doit être engagée que si elle s'impose du fait de dispositions contractuelles ou si les parties sont décidées à rechercher de bonne foi un accord. Il faut évidemment se méfier du cas où l'une des parties retiendrait cette formule uniquement de manière dilatoire pour gagner du temps et repousser la phase judiciaire ou arbitrale.

2. L'assistance d'un avocat. – L'assistance d'un avocat est une question qui se pose dès la survenance du différend. Elle est toujours souhaitable pour rédiger la convention, choisir le médiateur, assister les parties devant le médiateur, rédiger le protocole de médiation.

Son rôle dans la médiation peut paraître antinomique par rapport à son action de procédurier et défenseur en matière contentieuse. En pratique, de plus en plus d'avocats, notamment dans le domaine des affaires, considèrent qu'il est de l'intérêt de leur client de rechercher des relations transactionnelles plutôt que d'engager de longs procès aléatoires. Par leur déontologie, leurs connaissances juridiques et leur expérience de la négociation ils seront des partenaires indispensables pour effectuer les choix, éviter les pièges ou obstacles et rechercher des solutions. Dans ce cas, ils ne seront plus « manichéens » et adopteront une position d'écoute et de recherche de l'équilibre.

3. **Les réunions.** – La première réunion est importante. On l'a vu précédemment, une convention est généralement mise au point entre le médiateur et les conseils et signée lors de cette première réunion, sauf si la tension est telle qu'une réunion risque d'exacerber les positions. Cette convention est importante puisqu'elle fixe les règles du jeu pour les intervenants dans la médiation. En l'absence d'une telle convention le médiateur usera de son autorité et de la confiance qui lui a été témoignée pour imposer un processus efficace.

C'est à ce moment que se créera ou non le climat de confiance, que le médiateur se présentera et exposera l'esprit dans lequel il intervient. Il rappellera les principes de la médiation et l'obligation de confidentialité, indiquera le montant de ses honoraires, fixera le calendrier.

C'est à cette occasion que les parties exposeront leur position, à moins qu'il ne leur soit demandé une note.

Pour garantir la confidentialité et s'assurer qu'en cas d'échec de la médiation les parties n'utiliseront pas les déclarations, les aveux, les propositions faites, le principe le plus souvent retenu est celui de l'oralité.

Les parties communiquent les pièces nécessaires, font éventuellement une note sur leur position initiale et sur leur argumentation mais il n'y a pas de mémoire en demande ou en défense et il n'est pas établi de compte rendu.

Tant qu'un accord n'est pas intervenu, on laisse le moins de traces écrites possible sur les avancées des uns ou des autres ou les solutions envisagées.

Il arrive toutefois que, sous le sceau du secret professionnel, le médiateur ait des échanges écrits avec les avocats des parties. Le principe du contradictoire doit être le plus possible respecté mais, dans la mesure où il ne s'agit pas d'une procédure juridictionnelle, il est loisible au médiateur d'écouter les parties séparément.

En cas de tensions graves entre les antagonistes, il s'avère parfois préférable, pour éviter la confrontation brutale, de recevoir les parties séparément. Cette situation est délicate sur le plan déontologique mais souvent plus efficace pour traiter une solution amiable et aboutir à un accord.

Ces exceptions aux règles procédurales habituelles impliquent la nécessité d'une grande probité et d'une absolue neutralité de la part du médiateur.

Le déroulement de la médiation dépend beaucoup de la nature du différend. Le médiateur doit beaucoup écouter les parties, être très disponible, reformuler les positions, rechercher les points d'accord, hiérarchiser les difficultés, apprécier les éléments d'équilibre, comparer les offres.

Il doit s'assurer que la médiation ne s'enlise pas et doit entrer le plus rapidement possible dans la phase active : imposer que des offres soient faites, suggérer des solutions, convaincre les parties d'aboutir à un accord.

4. **Conséquences de la médiation**. – Avant l'expiration du délai prévu, la médiation se termine soit par un procès-verbal constatant que les parties n'ont pas pu trouver d'accord, soit par un protocole d'accord de médiation.

Si la médiation a échoué un procès-verbal de carence sera établi ; il sera laconique et factuel, ne comportera aucune indiscrétion susceptible d'être exploitée par l'une des parties ultérieurement ni aucune appréciation du médiateur.

Les parties se retrouvent libres d'engager une action judiciaire ou une procédure arbitrale.

Si la médiation a abouti, un protocole d'accord de médiation sera confectionné. Ce protocole reprendra les points soumis à la médiation et les points d'accord retenus par les parties pour mettre fin à leur différend. Dans certains cas, il peut n'y avoir qu'accord partiel sur certains points : le protocole précise alors quels sont ces points d'accord ainsi que la solution qui en découle et indique les faits sur lesquels aucun accord n'a été obtenu.

Plusieurs solutions techniques sont envisageables pour la rédaction du protocole :

– soit établir un protocole de médiation consignant simplement les faits ;
– soit, dans le cas où il existe d'importantes concessions réciproques, établir un protocole d'accord sous forme de transaction régie par les articles 2044 et s. du Code civil ;
– soit assurer à l'accord l'autorité de la chose jugée : si une action judiciaire était pendante, faire homologuer le protocole de médiation par la juridiction saisie ; si une procédure arbitrale était engagée, transformer le résultat de la médiation en un accord-partie qui fera l'objet d'une sentence ; si aucune procédure n'était engagée, transformer l'accord de médiation en « sentence d'accord-parties » rendue soit par le médiateur faisant fonction d'arbitre soit par un tiers sollicité à cet effet.

Chapitre II

LES CADRES DE L'ARBITRAGE

L'arbitrage est une matière encadrée par des textes mais les sources d'origine privée, notamment celles offertes par des conventions type, proposées aux usagers, constituent une référence importante (I) pour toutes les catégories d'arbitrages (II).

I. – Les sources du droit de l'arbitrage

1. Les sources d'origine étatique.

A) *Les sources internes.* – Elles sont constituées par les règles élaborées par chaque pays sur l'arbitrage. Celles-ci, dans le droit français de l'arbitrage, sont différentes selon que l'arbitrage est interne ou international.

a) L'arbitrage interne. Le décret n° 80-354 du 14 mai 1980 a organisé l'arbitrage interne en 50 articles intégrés dans le Nouveau Code de procédure civile (art. 1442 à 1491).

Ce « Code de l'arbitrage » dont la rédaction a été directement inspirée par la doctrine adopte une structure dont la logique est de type chronologique :

– les conventions d'arbitrage (art. 1442 à 1459) ;
– l'instance arbitrale (art. 1460 à 1468) ;
– la sentence arbitrale (art. 1469 à 1480) ;
– les voies de recours (art. 1481 à 1491).

L'essentiel du droit français de l'arbitrage est donc d'émanation réglementaire mais il bénéficie de la couverture de deux sources légales importantes :

– Les articles 2059 à 2061 Code civ. qui posent des principes et notamment celui en vertu duquel « toutes personnes peuvent compromettre sur les droits dont elles ont la libre disposition ».

– Il faut ajouter l'article 631 Code com. qui autorise la clause compromissoire pour les contestations relatives aux transactions entre négociants, marchands et banquiers, entre associés pour raison d'une société de commerce, et celles relatives aux actes de commerce entre toutes personnes.

D'autres textes parlent d'arbitrage, ainsi la loi de décentralisation précitée, cependant, ainsi que nous avons été amenés à en faire la remarque en définissant l'arbitrage, ces textes ne concernent pas directement notre matière.

b) L'arbitrage international. Le décret n° 81-500 du 12 mai 1981 a introduit les règles relatives à l'« arbitrage international » (art. 1492 à 1497 NCPC) et à « la reconnaissance, l'exécution forcée et les voies de recours à l'égard des sentences arbitrales rendues à l'étranger ou en matière d'arbitrage international » (art. 1498 à 1507) qui intéressent donc également les sentences rendues à l'étranger susceptibles de relever du droit interne.

B) *Les sources internationales.* – Celles-ci sont, pour l'essentiel, constituées par les conventions internationales relatives à l'arbitrage. Ces conventions sont de deux types : bilatérales ou multilatérales. Leur nombre étant important, nous ne citerons ici que les principales conventions multilatérales.

a) Le Protocole de Genève du 24 septembre 1923 relatif aux clauses d'arbitrage. Son entrée en vigueur date du 28 juillet 1924. Il a eu pour objet d'admettre la validité de la clause compromissoire et du compromis en matière internationale.

b) La Convention de Genève du 26 septembre 1927 pour l'exécution des sentences arbitrales étrangères. Elle est entrée en vigueur le 25 juillet 1929 et a été ratifiée par la France. Elle détermine les conditions de reconnaissance et d'exécution des sentences arbitrales « étrangères ». Son champ d'application est limité et les conditions d'exécution des sentences qu'elle détermine sont rigoureuses.

Ces deux conventions, si elles sont toujours en vigueur, sont aujourd'hui d'application très restreinte puisqu'elles ne concernent plus que les États qui ne sont ni l'un ni l'autre partie à la Convention de New York.

c) La Convention de New York du 10 juin 1958 pour la reconnaissance et l'exécution des sentences arbitrales étrangères. Ratifiée par un très grand nombre d'États, dont la France, cette Convention constitue l'instrument international le plus important en matière d'arbitrage.

Si, comme son intitulé l'indique, elle énonce les règles pour la reconnaissance et l'exécution des sentences, son objet est plus large puisqu'elle fixe les grands principes sur lesquels repose l'arbitrage international : principe de validité des conventions arbitrales et affirmation de l'autonomie de l'arbitrage international.

d) Convention européenne de Genève sur l'arbitrage commercial international du 21 avril 1961. Il s'agit d'une convention régionale qui est entrée en vigueur et que la France a ratifiée. Elle pose des règles pour le déroulement de l'arbitrage, depuis la convention d'arbitrage jusqu'à l'exécution de la sentence, et repose sur le principe d'autonomie de l'arbitrage.

e) *La Convention de Washington du 18 mars 1965.*
Signée par plus d'une centaine d'États, cette convention a créé le Centre international pour le règlement des différends relatifs aux investissements (CIRDI) destiné à offrir aux investisseurs étrangers et aux États d'accueil une structure d'arbitrage offrant toutes garanties d'impartialité.

2. **Les sources d'origine privée.** – Ces sources, qui ont une efficacité moins apparente que les précédentes mais réelle, sont également nombreuses. Parmi les plus importantes l'on trouve :

A) *Les conventions d'arbitrage type.* – Les conventions d'arbitrage type sont rédigées, soit unilatéralement par les centres d'arbitrage, soit par plusieurs centres dans le cadre d'accords interinstitutionnels.

B) *Les règlements d'arbitrage des institutions permanentes d'arbitrage.*
a) *Organismes internes.* Parmi les règlements d'organismes internes à vocation particulière qui sont fort nombreux, il est possible de citer : la Chambre arbitrale maritime de Paris, l'Association cinématographique professionnelle de conciliation et d'arbitrage (ACPCA), la Fédération nationale des travaux publics, l'Association arbitrage et technologies avancées (ATA), la Chambre arbitrale de l'Association française du commerce du cacao (AFCC), la Chambre arbitrale de l'Association française du négoce international du café (AFNIC), le Comité central de la laine, la Cour d'arbitrage de l'Association des conseils en propriété industrielle, etc.

Quant aux organismes à vocation générale, on se limitera à citer la Chambre arbitrale de Paris, l'Association française d'arbitrage (AFA) en n'omettant pas de signaler que des institutions d'arbitrage ont été fondées aussi dans le cadre régional : Cour d'arbitrage de l'Europe du Nord (CAREN, Lille), Chambre arbitrale de Picardie (Amiens), Chambre d'arbitrage en Normandie (Rouen), Centre d'arbitrage de la Charente, Centre d'arbitrage et de conciliation du ressort de la cour d'appel de Rennes, Chambre arbitrale des Pays de Loire (Laval), Centre d'arbitrage Rhône-Alpes (CARA)...

b) Organismes internationaux. Les organismes dominant l'arbitrage international sont principalement la Chambre de commerce international (CCI), l'American Arbitration Association (AAA), la London Court of Arbitration, l'Institut d'arbitrage de la Chambre de commerce de Stockholm, la Chambre de commerce franco-allemande (COFACI), etc.

c) La CNUDCI. La Commission des Nations Unies pour le droit commercial international (CNUDCI) a élaboré un règlement d'arbitrage facultatif auxquel les parties à une convention d'arbitrage peuvent se référer. Recommandé par l'Assemblée générale des Nations Unies (résolution du 15 décembre 1976), il constitue une référence appréciée. La CNUDCI a également adopté le 21 juin 1985 un modèle législatif (loi type) sur l'arbitrage commercial international qu'elle a demandé à l'Assemblée des Nations Unies de proposer aux États qui envisagent de réviser leur législation sur le sujet. Plusieurs États s'en sont inspirés.

Enfin, l'Organisation mondiale de la propriété intellectuelle (OMPI) a installé en 1994 un centre d'arbitrage spécialisé dans le domaine couvert par l'organisation (brevets, etc.).

C) *La jurisprudence arbitrale.* – Celle-ci est constituée par les sentences arbitrales. Il faut rappeler qu'il n'y a aucune commune mesure entre la jurisprudence arbitrale et la jurisprudence des tribunaux d'État, véritable source du droit ; en effet, deux qualités essentielles font défaut à la première : l'*autorité du précédent,* puisque les arbitrages sont la plupart du temps confidentiels, et l'*unité* de jurisprudence, puisque la Cour de cassation n'est appelée à connaître que d'une minorité d'arbitrages par le jeu des recours qui constituent l'issue la plus rare.

II. – Les différentes catégories d'arbitrages

Le terme « arbitrage » est un terme générique qui recouvre des réalités diverses selon les adjectifs qui le qualifient.

1. Arbitrage volontaire et arbitrage forcé.

– Une première distinction oppose l'arbitrage volontaire à l'arbitrage forcé.

L'arbitrage est volontaire lorsque les parties y recourent librement.

L'arbitrage est forcé lorsque la loi, exceptionnellement, impose aux parties d'y recourir. Deux exemples peuvent être fournis, choisis dans le cadre professionnel, celui des journalistes et celui des avocats.

2. Arbitrage international et arbitrage interne.

A) *Arbitrage international.* – Selon les termes de l'article 1492 NCPC, « est international l'arbitrage qui met en cause des intérêts du commerce international ».

Le critère retenu par la loi française est donc un critère pragmatique prenant en compte l'acception *économique* du terme *commerce* : est international l'arbitrage relatif à une opération comportant des transferts de biens, de services ou de monnaie à travers les frontières. Se trouve ainsi abandonné le critère exclusivement *juridique* auquel le droit arbitral français était traditionnellement attaché qui prenait en compte des éléments d'extranéïté tels que la nationalité des parties, le lieu de conclusion des contrats ou le lieu d'exécution des prestations.

B) *Arbitrage interne.* – *A contrario* est interne l'arbitrage qui ne met pas en jeu des intérêts du commerce international. Concrètement, si l'opération économique qui se trouve à l'origine du différend se déroule intégralement en France, les parties concernées seraient-elles étrangères, l'arbitrage est interne au sens du droit français.

L'intérêt de la distinction entre arbitrage interne et arbitrage international est sensible sur deux plans :

– celui des règles applicables à la procédure d'arbitrage : les règles de l'arbitrage international s'affranchissent d'un certain nombre de contraintes qui s'appliquent à l'arbitrage interne ; l'autonomie de la clause compromissoire instituant un arbitrage dans un contrat international rend celle-ci valable indépendamment de toute loi étatique ;

– celui des règles de fond concernant l'objet du litige : les arbitres internationaux peuvent appliquer les règles de fond du système juridique leur paraissant le plus adapté à la situation ou même des règles autonomes constituant ce qu'on est convenu d'appeler la *Lex mercatoria.*

3. Arbitrage *ad hoc* et arbitrage institutionnel.

A) *Arbitrage* ad hoc. – L'arbitrage *ad hoc* est l'arbitrage qui se déroule en dehors de toute institution permanente d'arbitrage et qui est organisé par les parties elles-mêmes.

Les avantages de ce type d'arbitrage sont évidents. Totale liberté est laissée aux parties qui peuvent adopter des procédures convenant aux spécificités de leur litige. Il est gage de souplesse.

En revanche, le principal inconvénient de l'arbitrage *ad hoc* réside dans les risques de blocage qu'entraîne tout désaccord entre les parties, par exemple à propos de la désignation du troisième arbitre.

B) *Arbitrage institutionnel*. – L'arbitrage institutionnel est l'arbitrage dont les parties ont confié l'organisation à une institution permanente d'arbitrage, et qui se déroule conformément au règlement d'arbitrage élaboré par cette institution.

Parmi les nombreux avantages que présente l'arbitrage institutionnel, l'on retiendra ici les deux plus fréquemment cités :

– il évite les risques de paralysie de la procédure arbitrale lorsque celle-ci connaît des difficultés ;
– il assure aux sentences arbitrales qualité, efficacité et autorité.

Par opposition, au titre des inconvénients, l'institutionnalisation de l'arbitrage entraîne une moindre personnalisation et une moindre souplesse de la procédure.

4. **Arbitrages bipartites et multipartites.** – La situation habituelle est celle de l'arbitrage bipartite, deux parties cherchant à vider le litige qui leur est propre.

Cependant, la complexité de la vie des affaires, notamment dans le cadre international, rend de plus en plus courant le cas où des entreprises sont liées par des chaînes de contrats (construction, ingénierie, transport maritime, informatique).

On voit que, dans ce cas, autant de litiges peuvent naître qu'il existe de contrats individualisés. Le risque est important, si ces différents litiges sont soumis à des collèges arbitraux séparés, qu'il y ait absence d'harmonie et même incompatibilité entre les différentes sentences. Les clauses d'arbitrage multipartite visent justement à écarter d'avance les inconvénients de semblables situations en retenant diverses solutions, soit de jonction, soit de présidence par une même personnalité, des différents arbitrages lorsque ceux-ci se déroulent sous l'égide d'un même organisme. Ces clauses multipartites sont, comme on le devine, parfois difficiles à mettre en œuvre, car elles se situent à la limite de ce qu'autorise le principe de l'effet relatif du contrat constitué par une convention d'arbitrage.

Quel que soit son type, l'arbitrage suppose la rédaction d'une convention d'arbitrage (chap. III) dont la mise en œuvre est à l'origine de la mise en place du tribunal arbitral (chap. IV) et de l'instance arbitrale (chap. V), laquelle s'achève par le prononcé de la sentence arbitrale qui est susceptible de faire l'objet de voies de recours (chap. VI).

Chapitre III

LA CONVENTION D'ARBITRAGE

La convention d'arbitrage est la convention par laquelle les parties décident de recourir à l'arbitrage. Elle porte le nom de :

– *clause compromissoire* lorsqu'elle est rédigée en vue d'un litige futur éventuel (art. 1442 NCPC : « La clause compromissoire est la convention par laquelle les parties à un contrat s'engagent à soumettre à l'arbitrage les litiges qui pourraient naître relativement à ce contrat ») ;
– *compromis* lorsqu'elle porte sur un litige déjà né (art. 1447 NCPC : « Le compromis est la convention par laquelle les parties à un litige soumettent celui-ci à l'arbitrage d'une ou plusieurs personnes »).

Du point de vue terminologique, remarquons que le verbe « compromettre », qui signifie conclure une convention arbitrale, est employé aussi bien pour la clause compromissoire que pour le compromis. Soumis à des règles communes (I), ces deux types de conventions présentent cependant des spécificités propres (II et III).

I. – Les règles communes à la clause compromissoire et au compromis

Les conventions d'arbitrage sont soumises à des conditions générales de validité et produisent des effets identiques, quelle que soit leur nature.

1. Conditions générales de validité des conventions arbitrales. – Comme tout contrat, la convention d'arbitrage est soumise aux conditions générales de validité des contrats et en particulier capacité de contracter objet et cause licites. Elle ne peut être conclue que par une personne capable de compromettre et pour un litige arbitrable.

A) *La capacité de compromettre.* – La capacité de compromettre des personnes privées doit être distinguée de celle de l'État et des personnes publiques.

a) La capacité de compromettre des personnes privées. Peut compromettre toute personne qui n'est pas déclarée par la loi incapable d'accomplir des actes juridiques (art. 1123 Code civ.).

Les personnes incapables de compromettre sont :

– les mineurs, sauf les mineurs émancipés dès lors que ne sont pas en cause des actes de commerce ;
– les majeurs sous tutelle ; les majeurs sous curatelle, quant à eux, peuvent compromettre avec l'autorisation du conseil de famille.

L'article 1989 du Code civil précise : « Le pouvoir de transiger ne renferme pas celui de compromettre », ce qui implique qu'un *mandat spécial* est nécessaire. Un mandat *ad litem* (art. 417 NCPC) suffit pour proroger un délai d'arbitrage mais pas pour compromettre car la convention d'arbitrage ne peut être assimilée à une action en justice.

b) La capacité de compromettre de l'État et des personnes publiques. En ce qui concerne l'arbitrage interne, le principe est celui de l'interdiction de compromettre pour les personnes publiques. Ce principe, exprimé par l'article 2060 Code civ. qui dispose qu'on ne peut compromettre « sur les contestations intéressant les collectivités publiques ou les établissements publics », connaît toutefois quelques exceptions relativement à certaines catégories d'établissements publics à caractère industriel et commercial (EPIC, loi du 9 juillet 1975) ou d'enseignement supérieur (décret du 1er août 2000) qui peuvent être autorisées à compromettre. Très peu d'établissements publics ont obtenu à ce jour, à l'exemple de la SNCF, le droit de compromettre. L'esprit général de la déréglementation qui conduit les entreprises publiques à s'aligner progressivement sur les règles du marché et à contracter dans les conditions du droit privé rend cette mesure d'exclusion de plus en plus critiquable et il est probable que des textes prochains lèveront ces blocages.

En revanche, en matière d'arbitrage international, la Cour de cassation a estimé que l'État pouvait valablement compromettre. Cette solution a été réaffirmée depuis lors à plusieurs reprises.

B) *L'arbitrabilité du litige.* – Pour être valable la convention d'arbitrage doit porter sur un litige pouvant faire l'objet d'une procédure arbitrale, ce qui n'est pas toujours le cas. En effet, les textes édictent des impossibilités de recours à l'arbitrage, eu égard aux droits concernés, à l'ordre public et à l'existence d'une attribution impérative de compétence.

a) Les droits non susceptibles de faire l'objet d'une convention d'arbitrage. En vertu de l'article 2059 Code civ. il est impossible de compromettre sur des droits dont on n'a pas la libre disposition.

Se trouve ainsi par exemple prohibé le recours à l'arbitrage en matière de droits alimentaires. De même une sentence arbitrale ne peut prononcer la nullité d'un brevet car les droits des tiers seraient mis en cause. En revanche, une sentence pourrait se prononcer sur la propriété d'un brevet car il s'agit dans ce cas de discuter de droits dont les parties intéressées ont la libre disposition.

b) L'ordre public. L'article 2060 Code civ. énumère tout d'abord expressément un certain nombre de questions sur lesquelles il est interdit de compromettre. Il s'agit de l'état et de la capacité des personnes, du divorce et de la séparation de corps.

Après cette énumération suit *in fine* le rappel d'une prohibition plus générale qui concerne « toutes les matières qui intéressent l'ordre public ». Par ordre public il ne faut pas uniquement viser l'ordre public national mais également l'ordre public communautaire dont le développement a considérablement élargi l'assiette de cette notion. La généralité de la formule a soulevé de sérieuses difficultés d'interprétation en jurisprudence. Il est toutefois aujourd'hui nettement établi que cette disposition ne soustrait pas à l'arbitrage toute contestation à laquelle est applicable une réglementation d'ordre public. Elle vise seulement à interdire à l'arbitre de se prononcer sur l'existence ou non de la *violation* d'une règle d'ordre public.

c) L'existence d'une attribution impérative de compétence. Ne sont pas arbitrables les litiges qui font l'objet d'une attribution impérative de compétence au profit d'une autre juridiction. Ainsi sont non arbitrables les litiges portant notamment sur *le droit pénal* et l'ouverture des *procédures collectives.*

Toute violation des conditions de validité des conventions arbitrales, de quelque ordre qu'elle soit, entraîne leur nullité.

2. **Effets des conventions d'arbitrage.** – La convention d'arbitrage, dès lors qu'elle est valable, s'impose aux parties qui l'ont signée mais est sans effet vis-à-vis

des tiers. Elle rend les juridictions étatiques incompétentes au profit des arbitres.

A) *L'incompétence des juridictions étatiques.* – L'article 1458 NCPC dispose que, dès lors qu'existe une convention d'arbitrage, les juridictions étatiques doivent se déclarer incompétentes. Ceci est valable tant dans l'hypothèse d'une saisine postérieure à la constitution du tribunal arbitral (al. 1er) que dans celle où elle est antérieure (al. 2). Toutefois, dans ce dernier cas, les juridictions étatiques recouvrent leur compétence en cas de nullité manifeste de la convention d'arbitrage.

Il faut alors se poser la question de la « connexité » ou de l'indivisibilité entre deux (ou plusieurs) litiges dont l'un est soumis à un tribunal arbitral et l'autre à une juridiction d'État : par exemple deux parties liées par un contrat d'exploitation d'œuvre audiovisuelle soumis à arbitrage peuvent aussi s'affronter devant les juridictions étatiques sur un grief de contrefaçon relatif à ladite œuvre. Le principe est net : aucune des deux juridictions ne peut accroître *proprio motu* sa compétence au préjudice de l'autre ; seules pourront éventuellement jouer des règles de sursis à statuer : le contraire reviendrait soit à vider l'arbitrage de son intérêt soit à faire échec à des règles d'ordre public.

B) *La compétence des arbitres.* – Toute convention d'arbitrage valable a pour effet de rendre compétents les arbitres désignés. Ils deviennent alors les arbitres de toutes les parties, n'étant pas mandataires de celles qui les ont respectivement désignés. Par ailleurs les arbitres contractent d'importantes obligations, notamment celle de remplir leur mission jusqu'à son terme (art. 1462 NCPC).

C) *Effets à l'égard des tiers.* – Le principe est que les conventions d'arbitrage sont inopposables aux personnes qui n'y sont pas parties. Toutefois, cette règle connaît un certain nombre de limites, notamment en cas de représentation parfaite ou de groupes de sociétés lorsque certaines conditions sont remplies.

II. – Les règles spécifiques à la clause compromissoire

Ces règles concernent le domaine dans lequel peut être signée une clause compromissoire, ainsi que sa forme et son contenu.

1. Le domaine de la clause compromissoire. – La réforme de 2001 a supprimé la prohibition de la clause compromissoire en matière civile. L'admission de la cause compromissoire est donc désormais quasi générale. Pour autant, deux secteurs restent en dehors du domaine de validité de cette clause :

– les contrats conclus par les consommateurs ;
– les contrats de travail.

2. La forme de la clause compromissoire.

A) *La forme écrite.* – L'article 1443, alinéa 1er, NCPC prévoit que la clause compromissoire doit être stipulée par écrit, soit dans la convention principale, soit dans un document auquel celle-ci se réfère. Il s'agit ici d'éviter toute incertitude sur l'existence de la clause compromissoire qui permet, depuis la réforme de 1980, de recourir directement à l'arbitrage. En cas de non-respect de cette formalité, la sanction prononcée est la nullité de la clause.

En revanche, le droit français de l'arbitrage international ignore cette exigence encore que l'article 1499, alinéa 1, impose la production de l'original de la décision accompagné de la convention d'arbitrage pour poursuivre en France l'exécution des sentences arbitrales internationales, ce qui fait indirectement de la forme écrite une nécessité pratique sinon strictement juridique.

B) *La clause d'arbitrage par référence.* – L'article 1443 admet l'hypothèse où la clause compromissoire figure par écrit dans « un document auquel la convention principale fait référence ». C'est ce qu'on appelle donc la « clause par référence ».

En revanche, la validité de la clause compromissoire est discutée lorsque l'idée même d'une préférence pour l'arbitrage ne figure pas explicitement dans la convention qui renvoie au document externe (référence tacite ou indirecte).

3. Le contenu de la clause compromissoire. L'alinéa 2 du même article 1443 NCPC indique pour sa part que la clause compromissoire doit « soit désigner le ou les arbitres, soit prévoir les modalités de leur désignation », par exemple en décidant que celles-ci se feront conformément au règlement d'arbitrage de l'institution à laquelle elles ont confié l'organisation de leur arbitrage. Le non-respect de cette exigence est sanctionné par la nullité de la clause compromissoire.

L'article 1444 NCPC investit le président du tribunal de grande instance d'un pouvoir d'appréciation important qui lui permet de distinguer les cas où la clause compromissoire est manifestement nulle en ce qu'elle ne permet pas de désigner les arbitres (par exemple une clause « blanche » se limitant à indiquer que tout litige sera réglé par voie d'arbitrage) et ceux où la clause compromissoire n'a simplement pas prévu une difficulté de mise en œuvre : dans ce cas le président désigne le ou les arbitres et sauve ainsi la clause.

4. La transmission de la clause compromissoire.
En cas de cession ou de transfert d'un contrat contenant une clause compromissoire, il y a transmission de ladite clause : en effet, la clause compromissoire est l'accessoire des clauses principales du contrat.

5. La nullité de la clause compromissoire.
Lorsque la clause compromissoire est nulle (essentiellement : défaut d'écrit, défaut de désignation des arbitres ou domaine inarbitrable), l'article 1446 NCPC la répute « non écrite ». C'est l'un des aspects de l'autonomie de la clause compromissoire et une application du principe plus général de l'autonomie de la volonté qui permet au reste du contrat de rester pleinement valide avec pour principale conséquence de pourvoir être soumis en cas de contestation aux juridictions de droit commun.

III. – Les règles spécifiques au compromis

Rappelons au préalable que l'établissement d'un compromis, à la différence de la clause compromissoire, suppose l'existence d'un litige né et actuel.

Le compromis est possible même dans les cas d'interdiction de la clause compromissoire (droit successoral, droit rural, droit du travail, etc.). De plus, l'existence d'une clause compromissoire ne fait pas obstacle à ce que soit ultérieurement signé un compromis : si les parties sont restées en relations d'affaires et acceptent d'organiser leur litige en concertation, la signature d'un compromis est hautement recommandée : celui-ci prend alors le relais de la clause compromissoire et l'intention des parties de recourir à l'arbitrage sera appréciée en référence à ce compromis.

Le compromis est soumis à des conditions de forme et de contenu.

1. La forme du compromis. – Conformément à l'article 1449 NCPC le compromis doit être constaté par un écrit. Cet écrit est exigé *ad probationem* et non pas *ad validitatem* comme c'est le cas pour la clause compromissoire.

L'article précise que la preuve écrite du compromis peut résulter d'un procès-verbal signé par l'arbitre et les parties ; *a contrario* un procès-verbal signé par les seuls arbitres qui se borneraient à faire mention de l'accord des parties n'aurait pas la valeur requise. Elle peut également être établie par acte notarié, par acte sous-seing privé ou encore par un échange de lettres.

2. Le contenu du compromis. – De même que pour la clause compromissoire, le compromis doit désigner les arbitres ou prévoir les modalités de leur désignation. En outre, l'article 1448 NCPC dispose que le compromis doit également déterminer l'objet du litige. Cette exigence s'explique par la nécessité que soit fixée avec précision la compétence des arbitres. C'est la référence à l'objet du litige ainsi déterminé qui permettra de dire si les arbitres ont jugé *ultra petita,* au-delà de ce qui leur était demandé, ou *infra petita,* en deçà de ce qui leur était demandé, c'est-à-dire incomplètement.

En pratique, les exigences d'un bon compromis sur le plan formel sont plus vastes : la « maquette » d'un compromis viable devra comprendre la désignation des parties, un rappel des principales péripéties de leurs relations contractuelles, l'objet du litige, la désignation des arbitres chargés d'en connaître ainsi que le mode de calcul de leurs honoraires (référence ou non au barème d'une chambre d'arbitrage), enfin les demandes des parties, puis les caractéristiques juridiques de l'arbitrage sollicité (jugement en amiables compositeurs ou non, possibilité d'appel ou non, etc.).

3. Nullité et caducité du compromis.

A) *Nullité*. – Les causes de nullité d'un compromis peuvent être ainsi résumées : incapacité à compromettre (violation de l'art. 1123 Code civ.) ; défaut de précision de l'objet ou de désignation des arbitres (violation de l'art. 1448 NCPC) ; cas de non-arbitrabilité (violation de l'art. 2060 Code civ.). Les nullités qui sanctionnent les deux premiers cas ont un caractère relatif. La nullité qui sanctionne le troisième cas présente un caractère absolu.

B) *Caducité*. – L'article 1448 NCPC dispose que le compromis est caduc lorsqu'un arbitre n'accepte pas la mission qui lui est confiée ; si plusieurs arbitres ont été désignés, la caducité peut intervenir du fait de la non-adhésion d'un seul. Cela signifie que l'acceptation par l'arbitre n'est pas une condition de validité du compromis mais une condition de son exécution. Le compromis aura donc emporté la plupart de ses effets. Si les parties en viennent à désigner de nouveaux arbitres, il s'agira d'un nouveau compromis.

4. Transfert du compromis. – Comme toute convention, le compromis peut se transmettre : aux héritiers et aux créanciers devenus titulaires des droits du débiteur. En revanche, le compromis est indépendant de la convention d'où est né le litige qui est à l'origine du compromis. Il en résulte que le transfert de cette convention n'entraîne pas le transfert du compromis.

La convention d'arbitrage, lorsqu'elle est mise en œuvre, est le point de départ du procès arbitral qui commence avec la constitution du tribunal arbitral et se poursuit avec l'instance arbitrale.

Chapitre IV

LA CONSTITUTION
DU TRIBUNAL ARBITRAL

La constitution du tribunal arbitral, quel que soit le mode de désignation des arbitres (I), est soumise à des conditions précises qui doivent être respectées (II).

I. – La désignation des arbitres

Cette désignation n'est pas l'apanage des seules parties puisqu'elle peut aussi être le fait d'une institution permanente d'arbitrage ou du juge étatique.

1. Désignation des arbitres par les parties. – Cette désignation figure dans la convention d'arbitrage, clause compromissoire ou du compromis.

A) *Désignation dans la clause compromissoire.* – Dès lors que des parties à un contrat principal souscrivent une clause compromissoire, celle-ci doit, à peine de nullité, prévoir soit la désignation soit les modalités de désignation du ou des arbitres (art. 1443, al. 2 NCPC). En pratique, les parties s'en tiennent généralement à la seule détermination des modalités de désignation. En effet, la désignation des arbitres à un stade où les parties ignorent encore tout de la nature et des spécificités du différend qui surviendra éventuellement est une décision qui risque de se révéler ensuite inadéquate.

Les parties peuvent par exemple convenir qu'il sera fait appel à un arbitre unique dont le nom sera retenu d'un commun accord entre elles ou par une tierce personne. Elles peuvent également décider de confier le règlement de leur différend à un tribunal arbitral de trois membres, chacune en désignant un et le troisième étant choisi soit par les deux premiers arbitres soit par elles deux. Elles peuvent encore confier la désignation de ce troisième arbitre, laquelle soulève des difficultés fréquentes en pratique, aux soins d'un tiers, personne physique, par exemple un magistrat, ou personne morale (le plus souvent un centre permanent d'arbitrage).

B) *Désignation dans le compromis.* – Lorsque des parties signent un compromis, il leur est également fait obligation d'y désigner le ou les arbitres ou d'y prévoir les modalités de leur désignation (art. 1448, al. 2, NCPC). Pour les modalités de désignation, la liberté des parties est tout aussi grande qu'elles recourent à une clause compromissoire ou à un compromis, les exemples donnés pour la première valant également pour le second. Néanmoins la désignation directe des arbitres ne soulève pas les mêmes objections puisque le litige est déjà né.

2. **Désignation des arbitres par une institution permanente d'arbitrage.** – En vertu de l'article 1455 NCPC les parties ont la possibilité de confier la constitution du tribunal arbitral à un tiers, qui peut être une personne physique ou morale. Ce tiers est en pratique le plus souvent un centre d'arbitrage auquel le législateur, en 1980, a interdit l'exercice des fonctions d'arbitre, le différend qui oppose les parties ne pouvant être tranché que par une personne physique (art. 1451, al. 2, et 1455 NCPC). C'est donc en vertu de

ses pouvoirs d'organisateur de l'instance arbitrale qu'il va procéder à la désignation des arbitres.

Selon le système prévu par l'article 1455, alinéa 1er, NCPC, les arbitres doivent être acceptés par toutes les parties. Cette obligation s'impose quand ces dernières choisissent directement les arbitres, mais également lorsque le nom des arbitres leur est proposé par le tiers organisateur de l'arbitrage.

L'alinéa 2 du même article décide que si chaque arbitre n'est pas accepté par la totalité des parties, ces dernières sont alors invitées par l'organisme arbitral à en désigner un. Pour sa part, le centre procède directement à la désignation de l'arbitre à laquelle une partie se refuse et éventuellement à celle de l'arbitre, généralement le troisième, qui complète le tribunal arbitral conformément à l'exigence de la règle d'imparité.

Il convient d'indiquer que les règles qui viennent d'être mentionnées ne s'appliquent pas aux arbitrages internationaux. En la matière, les arbitres sont désignés conformément aux stipulations du règlement d'arbitrage de l'institution choisie par les parties.

3. **Désignation des arbitres par le juge étatique.** La désignation des arbitres par le juge étatique peut être obtenue du président du tribunal de grande instance ou, si les parties l'ont expressément prévu, de celui du tribunal de commerce (art. 1444, al. 2). Diverses circonstances peuvent être à l'origine d'une telle désignation qui se déroule cependant toujours selon une procédure identique.

A) *Les hypothèses de désignation judiciaire des arbitres.* – Les arbitres peuvent être désignés par le juge dans les cas où la constitution du tribunal arbitral se heurte à des obstacles : soit que la clause ne soit pas efficacement rédigée, soit qu'une partie fasse preuve de mauvaise volonté, soit que les arbitres désignés par chaque partie ne parviennent à s'entendre sur la personne du troisième, etc. Ces différentes hypothèses sont gérées par les articles 1444 et 1454 NCPC.

a) Difficulté de constitution. En présence d'une clause compromissoire la désignation judiciaire des arbitres est possible lorsque, alors qu'un litige est né, « la constitution du tribunal arbitral se heurte à une difficulté du fait de l'une des parties ou dans la mise en œuvre des modalités de désignation » (art. 1444, al. 1er, NCPC). L'expression « constitution du tribunal arbitral » devant être interprétée de façon large, la présente disposition permet au juge d'intervenir dans un nombre très varié d'hypothèses et d'assurer ainsi une véritable assistance à la mise en œuvre de l'arbitrage. Elle l'autorise évidemment à désigner l'arbitre unique sur le nom duquel les parties ne s'entendent pas, le troisième arbitre lorsque les deux premiers n'y parviennent pas ou encore l'arbitre à la désignation duquel une partie refuse de procéder. Mais il peut encore intervenir, par exemple, en cas de contestation par une partie de l'arbitre désigné par l'autre ou de contestation entre deux personnalités nommées par les parties sur le point de savoir si elles l'ont été en qualité d'arbitre ou d'expert.

Les conditions d'intervention du juge étatique étant remplies, celui-ci ne peut refuser de procéder à la désignation demandée que si la clause compromissoire s'avère « manifestement nulle » ou « insuffisante pour permettre de constituer le tribunal arbitral » (art. 1444, al. 3). La *nullité* affectant la clause doit être manifeste, c'est-à-dire évidente, non contestable. Tel serait le cas d'une clause contraire à l'ordre public, non stipulée par écrit ou souscrite dans une matière où elle est interdite. Quant à l'*insuffisance* de la clause compromissoire, elle résulte le plus souvent de l'indétermination par les parties des modalités de désignation des arbitres, par exemple en présence d'une clause dite « blanche » se contentant de poser le principe du recours à l'arbitrage.

b) Nombre pair d'arbitres. La seconde hypothèse de désignation judiciaire de l'arbitre est prévue par l'article 1454 NCPC. Il s'agit du cas dans lequel les parties ont désigné un nombre pair d'arbitres. Lorsqu'elles n'ont rien prévu à ce sujet et que les deux premiers arbitres ne sont pas parvenus à se mettre d'accord sur le nom d'un arbitre supplémentaire, ce dernier est alors désigné par le président du tribunal de grande instance. La désignation judiciaire faite à raison de la parité du tribunal arbitral est possible pour tout arbitrage, qu'il résulte d'une clause compromissoire ou d'un compromis.

B) *La procédure de désignation judiciaire des arbitres.* – Cette procédure est prévue par l'article 1457 NCPC et s'applique dans tous les cas qui ont été précédemment indiqués. L'alinéa 1er de cette disposition décide que le président du tribunal de grande instance (ou du tribunal de commerce lorsque celui-ci peut intervenir) est saisi « comme en matière de référé ». Il s'agit ici de faire en sorte que la désignation de l'arbitre s'effectue rapidement et que l'intervention judiciaire perturbe le moins possible le déroulement de l'arbitrage. S'agissant d'une mesure de nature à permettre la poursuite de l'arbitrage, la saisine du juge appartient tant aux parties qu'aux arbitres déjà désignés, lesquels sont parfois plus vigilants que les premières.

La décision rendue par le magistrat est une ordonnance qui présente la caractéristique de n'être en principe pas susceptible de recours.

Par exception, l'article 1457, alinéa 2, décide que peut faire l'objet d'un appel l'ordonnance qui refuse de procéder à la désignation du ou des arbitres à cause de l'existence de l'une des causes prévues par l'article 1444, alinéa 3, savoir la *nullité manifeste* ou l'*insuffisance de la clause compromissoire,* ce qu'il faut interpréter exhaustivement.

Le législateur, à des fins de célérité et d'efficacité évidentes, a décidé que dans ce cas l'appel de l'ordonnance « est formé, instruit et jugé comme en matière de contredit de compétence ».

L'alinéa 3 de l'article 1457 NCPC indique quel est le magistrat territorialement compétent pour intervenir. En la matière, la souplesse et la liberté prévalent puisque le principe est celui de la compétence du président « du tribunal qui a été désigné par la convention d'arbitrage ». Lorsque celle-ci est muette sur la question, ce qui est en pratique fréquent, est compétent le président du tribunal dans le ressort duquel se situe le lieu que les parties ont retenu dans leur convention pour le déroulement des opérations d'arbitrage. À défaut d'une telle indication, il y a compétence du président du tribunal du lieu où demeure(nt) le(s) défendeur(s) à l'incident, et, dans l'hypothèse où ce(s) dernier(s) demeure(nt) à l'étranger, de celui du tribunal du lieu où demeure le demandeur.

II. – Les conditions de constitution du tribunal arbitral

Toujours en nombre impair, les arbitres doivent remplir certaines conditions pour pouvoir exercer leur mission, s'ils acceptent celle-ci.

1. **La règle de l'imparité.** – Le tribunal arbitral peut être composé d'un arbitre unique ou bien de plusieurs arbitres, la détermination de leur nombre relevant d'un libre accord entre les parties. Cependant, depuis la réforme de 1980, l'article 1453 NCPC impose que ce nombre soit impair – cette exigence n'existe pas pour l'arbitrage international, dans le cadre duquel la loi française autorise donc que le tribunal arbitral soit composé d'un nombre pair d'arbitres.

En pratique, et malgré la liberté qui leur est laissée, les parties soumettent le plus souvent leur litige à un ou à trois arbitres. Si cinq arbitres interviennent parfois, comme cela est par exemple le cas au sein des juridictions arbitrales de second degré instituées par certains centres d'arbitrage, on va rarement au-delà de ce chiffre. Cette règle, en rendant impossible tout partage égal des voix, facilite l'obtention de la décision.

2. **Les conditions requises pour être arbitre.** L'article 1451 NCPC impose que la personne pressentie pour exercer la mission d'arbitre remplisse deux conditions : être une personne physique et avoir le plein exercice de ses droits civils.

A) *L'arbitre, une personne physique.* – La règle selon laquelle « la mission d'arbitre ne peut être confiée qu'à une personne physique » (art. 1451, al. 1er, NCPC) est une exigence introduite par le décret du 14 mai 1980. Elle a pour conséquence d'interdire l'exercice des fonctions d'arbitre à toute personne morale, que celle-ci soit, par exemple, un groupement professionnel, un syndicat ou une institution permanente d'arbitrage. La jurisprudence antérieure à la réforme avait admis que de tels organismes soient désignés arbitres. Il est bien évident que ce n'était pas la personne morale elle-même qui tranchait le litige, mais une ou plusieurs personnes physiques désignées par elle. De la sorte, l'obligation nouvelle paraît satisfaisante en ce qu'elle met fin à une fiction. Par ailleurs, l'ancienne pratique tendait à diluer les responsabilités inhérentes aux fonctions d'arbitre, alors que désormais, si besoin est, les parties à l'arbitrage sauront précisément qui mettre en cause dans l'hypothèse de négligence ou d'absence de diligence de l'arbitre par exemple.

Pour autant, cela n'interdit pas qu'une personne morale, le plus souvent en pratique un centre d'arbitrage, intervienne dans un arbitrage, mais alors « celle-ci ne dispose que du pouvoir d'organiser l'arbitrage » (art. 1451, al. 2, NCPC). Ceci étant, les parties peuvent choisir comme arbitres toutes personnes physiques de leur convenance, dès lors toutefois qu'elles disposent du plein exercice de leurs droits civils.

B) *Le plein exercice des droits civils.* – La mission d'arbitre ne peut être exercée que par une personne ayant le plein exercice de ses droits civils (art. 1451, al. 1er, NCPC). Cette exigence interdit donc que soient arbitres, principalement, les mineurs non émancipés, les majeurs sous curatelle ou sous tutelle, les personnes condamnées à la privation de leurs droits civiques, civils et de famille et les personnes contre lesquelles ont été prononcées la faillite personnelle ou toute autre mesure d'interdiction prévue par les articles 192 et suivants de la loi du 25 janvier 1985.

Cette règle trouve son fondement dans la volonté que les fonctions d'arbitre, qui sont de nature juridictionnelle, soient confiées à des personnes présentant un minimum de garanties.

L'article 1451, alinéa 1er n'interdit pas, en revanche, que des personnes de nationalité étrangère soient arbitres.

3. L'acceptation de sa mission par l'arbitre. – Les personnes pressenties par les parties pour être arbitres doivent encore, pour être effectivement investies de leur mission, accepter celle-ci, ainsi que l'exige l'article 1452 NCPC. Cette acceptation peut indifféremment être expresse ou tacite. La jurisprudence, assez libérale en la matière, estime par exemple qu'a accepté ses fonctions un arbitre qui a participé à une réunion du tribunal arbitral ou qui a entendu les parties. Il faut toutefois que le fait dont est déduite l'acceptation soit porté à la connaissance personnelle de l'ensemble des parties à l'instance arbitrale et soit dépourvu de toute ambiguïté.

L'acceptation par l'arbitre de sa mission n'est pas purement formelle puisqu'elle produit des effets. C'est effectivement à compter de la date d'acceptation définitive de sa mission par l'arbitre unique ou par le dernier des arbitres, lorsque plusieurs sont désignés, que court le délai d'arbitrage. Cela explique que des contestations puissent surgir entre les parties au sujet de la détermination de cette date.

Lorsque la personne choisie pour être arbitre connaît en sa personne une cause de récusation, elle doit en informer les parties avant d'accepter sa mission. Cette circonstance ne l'empêche pas d'exercer les fonctions d'arbitre, mais cela ne peut alors se faire qu'avec l'accord de toutes les parties (art. 1452, al. 2, NCPC).

Chapitre V

L'INSTANCE ARBITRALE

Les arbitres sont investis de la mission de trancher le litige (I) mission qu'ils accompliront dans le cadre de la procédure arbitrale (II).

I. – La mission arbitrale

1. **Les pouvoirs des arbitres.** – Les arbitres sont toujours compétents pour apprécier leur propre compétence, mais disposent, pour trancher le fond du litige, de pouvoirs plus ou moins étendus selon qu'ils statuent en droit ou en amiable composition.

A) *La compétence sur la compétence.* – Cette expression désigne la compétence qu'a l'arbitre de statuer sur sa propre compétence, laquelle lui est accordée par l'article 1466 NCPC. Ce dernier permet à l'arbitre de se prononcer tant sur la validité que sur les limites de son investiture.

a) Vérification par les arbitres de l'étendue de leur investiture. Les arbitres tiennent leur pouvoir de juger de la convention d'arbitrage qui fixe donc également les limites de ce pouvoir. Il appartient par conséquent aux arbitres de contrôler que leur investiture est conforme à l'objet du litige tel qu'il résulte de cette convention. Dans ce cadre, ils doivent vérifier qu'ils sont compétents au regard des termes de la convention d'arbitrage. En pratique, les contestations relatives à l'étendue du pouvoir juridictionnel de l'arbitre se produisent en présence d'une clause compromissoire, laquelle, à la différence du compromis, n'a pas à déterminer l'objet du litige.

Antérieurement au décret de 1980, le principe de la compétence de l'arbitre pour apprécier les limites de son investiture était dans l'ensemble admis par la jurisprudence. Ce pouvoir est désormais formellement reconnu par l'article 1466 NCPC.

b) Appréciation par les arbitres de la validité de leur investiture.

La réforme de 1980 (art. 1466 NCPC) a mis fin à une longue controverse en reconnaissant aux arbitres le pouvoir d'apprécier la validité de l'acte dont ils tenaient leur investiture.

B) *L'étendue des pouvoirs des arbitres par rapport aux règles applicables au litige.* – Ces pouvoirs sont plus ou moins étendus selon que l'arbitre reçoit mission de statuer en appliquant les règles du droit ou peut s'en éloigner en prenant en compte des considérations d'équité.

a) L'arbitrage en droit. L'arbitrage de droit, en cas de silence de la convention d'arbitrage, est présumé par l'article 1474 NCPC qui dispose que « l'arbitre tranche le litige conformément aux règles de droit, à moins que, dans la convention d'arbitrage, les parties ne lui aient conféré mission de statuer comme amiable compositeur ». Face aux praticiens de l'arbitrage très favorables à l'amiable composition en raison de la liberté qu'elle donne aux arbitres, le législateur a privilégié la sécurité offerte aux parties par l'arbitrage en droit. Celui-ci oblige l'arbitre à appliquer les règles de droit en vigueur, par exemple celles du droit français pour un litige soumis à la loi française, tout comme le ferait le juge étatique.

b) L'amiable composition. Les arbitres institués amiables compositeurs disposent de pouvoirs bien plus étendus puisqu'ils ont la possibilité d'écarter les règles de droit dont l'application s'impose normalement et de statuer en équité. Il convient de souligner que le recours à l'équité n'est qu'une simple faculté, pas une obligation pour l'arbitre de sorte que les termes d' « amiable composition » et d' « équité » ne sauraient être strictement assimilés. L'amiable composition permet en fait aux arbitres de retenir la solution qui leur paraît la plus juste eu égard aux règles de droit, à l'équité ou encore aux usages du commerce. Il semble même que la jurisprudence admette que, sous son contrôle, l'amiable compositeur puisse exercer un pouvoir modérateur à l'égard du contrat qu'il lui est néanmoins strictement interdit de réviser.

2. **Les obligations des arbitres.** – En acceptant la fonction d'arbitre ce dernier contracte vis-à-vis des parties un certain nombre d'obligations dont l'irrespect n'est pas sans conséquences.

A) *Les principales obligations des arbitres.*
a) Conduite à son terme de la mission arbitrale et respect des délais. La première obligation à laquelle s'engage l'arbitre est celle de mener à bien sa mission jusqu'à son terme, ainsi que le prévoit expressément l'article 1462, alinéa 1er, NCPC. Il lui est en conséquence interdit de cesser ses fonctions de façon anticipée, sauf s'il en est empêché pour une cause légitime, par exemple un problème de santé. La tâche d'arbitre exige sérieux et diligence. En ce qui concerne ce dernier point, il doit être rappelé que les arbitres sont tenus par des délais stricts, de sorte que, d'un point de vue déontologique, il est souhaitable qu'une personne pressentie

pour être arbitre refuse cette fonction lorsque son emploi du temps est particulièrement chargé.

b) Autres obligations générales. Parmi les diverses autres obligations découlant de l'exercice par l'arbitre de son activité peuvent être cités :

– le respect du secret des affaires dont il connaît ;
– l'application, dans le cadre de l'arbitrage institutionnel, du règlement d'arbitrage ;
– le traitement égalitaire de toutes les parties.

Cette dernière obligation nous conduit directement à l'examen de l'obligation d'impartialité de l'arbitre, qui est source de nombreuses réflexions.

c) Obligation particulière d'impartialité et d'indépendance. La soumission de l'arbitre à une obligation d'impartialité et d'indépendance est un principe sur lequel tout le monde s'accorde, tant en doctrine qu'en jurisprudence. Elle trouve son fondement dans la nature même de la fonction qui lui est confiée, laquelle est une véritable fonction juridictionnelle, et vise à assurer à l'arbitrage toute la crédibilité qu'il requiert. En revanche, la détermination du contenu précis de cette obligation, sa mise en œuvre pratique, la délimitation de son étendue exacte sont autant de questions qui soulèvent de réelles difficultés. La terminologie employée pour désigner cette obligation est variée. À côté du terme « impartialité » on rencontre fréquemment ceux d' « indépendance », de « neutralité » ou encore d' « objectivité ».

Les arbitres sont-ils des *mandataires* ayant en charge la défense des intérêts des parties qui les ont désignés ou de véritables *juges* devant présenter toutes garanties d'impartialité et d'indépendance ? C'est cette deuxième conception que retient le droit français, à la différence, par exemple, des droits anglo-saxons dans lesquels existe la notion de *non neutral arbitrator*. Cette solution impose le respect de l'obligation d'impartialité et d'indépendance à l'ensemble des membres du tribunal arbitral. La pratique révèle néanmoins la difficulté, d'ordre psychologique, qu'ont un certain nombre d'arbitres à soutenir une position contraire à celle de la partie qui les a désignés.

Les arbitres doivent être informés que cette obligation trouve un appui direct dans le droit positif. En effet, l'article 1452, alinéa 2, NCPC contraint « l'arbitre qui suppose en sa personne une cause de récusation » à en faire part aux parties avant d'accepter sa mission, or dépendance et partialité sont bien constitutives d'une telle cause. L'arbitre se voit ici soumis à une obligation dont l'étendue est relativement vaste en ce qu'elle vise la supposition, et non pas la seule connaissance du lien reprochable, et qu'en outre elle vaut pour toute cause. Or une liste exhaustive de ces causes peut difficilement être dressée, même si elle recoupe en grande partie celle valant pour les juges étatiques, car l'appréciation des hypothèses concrètes relève largement de la jurisprudence.

L'existence chez la personne sollicitée d'une cause de récusation ne l'empêche pas d'être arbitre à condition que, en ayant informé la totalité des parties, celles-ci aient accepté sa nomination en connaissance de cause. Aucune mesure ne vient en revanche sanctionner le défaut d'information d'un arbitre, qui encourt alors néanmoins le risque de voir introduite contre lui au cours de la procédure arbitrale une demande de récusation dans les termes de l'article 1463 NCPC. De plus, la sentence rendue par un arbitre dépendant et partial, non récusé en cours de procédure, est susceptible d'être annulée pour absence de convention d'arbitrage (art. 1484, 1er), pour violation des droits de la défense (art. 1484, 4e, NCPC) ou encore pour violation d'une règle d'ordre public (art. 1484, al. 6, NCPC), l'indépendance de l'arbitre étant considérée comme relevant de l'essence de sa fonction juridictionnelle.

Pour ces différentes raisons il est vivement conseillé aux arbitres de faire connaître aux parties tout élément qui pourrait être de nature à entraîner leur récusation.

B) *Le non-respect par l'arbitre de ses obligations.* – Il ne fait pas de doute que la responsabilité de l'arbitre peut être mise en jeu, par exemple pour avoir laissé expirer indûment le délai d'arbitrage. Il s'agit de la responsabilité contractuelle générale qui trouve ici son fondement dans le contrat, diversement qualifié selon les auteurs (« contrat d'arbitrage » ou « contrat d'investiture »), qui unit les parties et les arbitres. De la sorte, le non-respect par l'arbitre de l'une quelconque des obligations auxquelles il est tenu est susceptible d'entraîner sa responsabilité, dès lors que ce manquement est constitutif d'une faute ayant entraîné un dommage pour les parties.

3. **La durée de la mission arbitrale.** – L'exercice par l'arbitre de sa mission est enfermé dans un délai qui peut être prorogé, mais qui peut également s'achever de façon anticipée.

A) *Détermination du délai d'arbitrage.* – L'existence d'un délai d'arbitrage ayant une durée et un point de départ nettement déterminés est une garantie pour les parties en ce qu'elle met la solution du litige à l'abri du laxisme d'arbitres peu diligents, voire négligents.

a) Détermination de la durée du délai d'arbitrage. Le principe posé par l'article 1456, alinéa 1er, NCPC) est celui de la libre détermination par les parties du délai d'arbitrage. C'est ainsi que le renvoi de la convention d'arbitrage à un règlement d'arbitrage rend applicable à l'instance arbitrale le délai éventuellement prévu par ce document. À défaut pour les parties d'exercer la liberté, totale en la matière, qui leur est laissée, les arbitres disposent pour rendre leur sentence d'un délai de six mois. Ce délai a été reconnu par tous préférable à celui de trois mois que fixait l'ancien article 1007 du Code de procédure civile, lequel, en raison de sa brièveté, devait presque toujours être prolongé.

b) Détermination du point de départ du délai d'arbitrage. Qu'il soit conventionnel ou légal, le délai d'arbitrage court à compter de la date de l'acceptation de sa mission par le dernier des arbitres (art. 1456, al. 1er, NCPC). Si ce point de départ est conforme à la réalité des choses puisqu'il marque le début du déroulement de l'instance arbitrale, force est de reconnaître qu'il n'est pas toujours très aisé à déterminer. Cette difficulté provient de l'absence de formalisme qui entoure l'acceptation de sa mission par l'arbitre, laquelle peut être, rappelons-le, tacite. Les éventuelles contestations des parties à ce sujet, qui ne sont pas rares eu égard aux conséquences d'une sentence arbitrale rendue hors délai, sont tranchées par le juge étatique ; celui-ci a déjà eu l'occasion d'affirmer que le fait à prendre en considération devait présenter la double caractéristique d'être connu de l'ensemble des parties au litige et de ne pas être équivoque ou ambigu.

B) *Prorogation du délai d'arbitrage.* – La prorogation du délai d'arbitrage est très importante puisqu'elle donne davantage de temps aux arbitres pour rendre leur sentence, laquelle ne serait pas valable si elle était rendue après l'expiration du délai initialement prévu. Or, en pratique, il est relativement fréquent que ce dernier s'avère trop court pour que le tribunal arbitral puisse mener sa mission à bien. La faculté de proroger le délai d'arbitrage est expressément prévue par l'article 1456, alinéa 2, NCPC qui décide qu'elle est exercée soit par les parties, soit par le juge étatique. S'il est admis que les centres permanents d'arbitrage puissent accorder des prorogations, en revanche celles-ci ne peuvent jamais être le fait des arbitres eux-mêmes.

a) Prorogation du délai par accord des parties. La prorogation du délai d'arbitrage peut en premier lieu résulter de l'accord des parties, cet accord pouvant tout aussi bien être exprès que tacite. La jurisprudence admet depuis longtemps la prorogation tacite qu'elle déduit de la présence d'éléments révélant une volonté manifeste des parties à ce sujet. Il en est ainsi lorsque ces dernières participent sans réserve à des opérations d'arbitrage telles que l'envoi aux arbitres d'un mémoire, le dépôt de conclusions, l'échange de notes ou encore la comparution devant le tribunal arbitral.

Le délai est prorogé de la durée convenue par les parties. Dans le cas où elles n'ont rien prévu à ce sujet, la prorogation est accordée pour une durée égale au délai légal d'arbitrage, soit six mois.

b) Prorogation du délai par le juge. La possibilité donnée au juge étatique de proroger le délai d'arbitrage introduite par la réforme de 1980 – autrefois le juge étatique ne pouvait proroger le délai d'arbitrage que si les parties lui en avaient donné le pouvoir – constitue une innovation bien venue puisqu'elle permet de s'opposer au refus ou à la résistance passive de l'une des parties, voire des deux. L'article 1456, alinéa 2, NCPC accorde en effet la saisine du juge à l'une des parties, mais également au tribunal arbitral.

Le magistrat compétent est en principe le président du tribunal de grande instance, mais il peut également s'agir du président du tribunal de commerce si les parties l'ont expressément convenu dans leur convention d'arbitrage. En ce qui concerne la détermination du juge territorialement compétent, il faut se référer à l'article 1457, alinéa 3, NCPC qui retient la compétence du magistrat du tribunal désigné dans la convention d'arbitrage, ou, en cas de silence de cette dernière, de celui dans le ressort duquel la convention des parties a fixé le lieu de l'arbitrage. À défaut de choix d'un tel lieu par les parties est compétent le président du tribunal du lieu dans lequel demeure le ou l'un des défendeurs, ou du demandeur, si ce dernier lieu se situe à l'étranger.

Le juge, qui est libre d'accorder ou non la prorogation demandée, est saisi comme en matière de référé ; le but recherché est la célérité. Il ne pourra toutefois se prononcer que s'il est saisi antérieurement à l'extinction du délai d'arbitrage initial. Il se prononce par une ordonnance insusceptible de recours.

c) Prorogation du délai par une institution permanente d'arbitrage. L'absence de mention, dans l'article 1456, alinéa 2, NCPC des institutions permanentes d'arbitrage, a suscité chez les auteurs des interrogations sur le point de savoir si ces dernières avaient ou non compétence pour proroger le délai des instances arbitrales se déroulant sous leur égide. Des arguments ont été avancés dans les deux sens. L'argument le plus fréquemment avancé par les auteurs qui retiennent le monopole du juge pour proroger le délai d'arbitrage en dehors de la volonté de l'ensemble des parties a consisté à dire que l' « omission » du législateur était volontaire et visait à supprimer la pratique libérale et souvent secrète des centres accordant presque toujours les prorogations sollicitées, pratique qu'avait tout à fait admise la jurisprudence. La thèse contraire, que nous soutenons pour notre part, a principalement affirmé que la prorogation par l'organisme arbitral était tout à fait possible soit parce qu'il intervenait alors comme mandataire des parties, soit parce que sa décision, qui n'est pas de nature juridictionnelle, vaut accord des parties.

d) Interdiction de la prorogation du délai par l'arbitre. Si la prorogation du délai d'arbitrage par un organisme arbitral pose les difficultés qui viennent d'être examinées, il ne fait en revanche aucun doute que le législateur a totalement proscrit la possibilité pour les arbitres de proroger eux-mêmes la durée de leur mission. Cette interdiction, qui concerne tous les arbitres y compris ceux qui sont institués amiables compositeurs, assure aux parties la garantie de ne pas voir la procédure arbitrale durer indéfiniment. En droit, elle trouve sa pleine justification dans l'interdiction de se donner mandat à soi-même. La solution, acquise depuis longtemps en jurisprudence est rappelée par le juge chaque fois que cela s'avère nécessaire.

C) *La fin anticipée de la mission de l'arbitre.* – Le prononcé de la sentence arbitrale constitue le terme normal de la mission de l'arbitre. Il arrive toutefois que la survenance de certains événements y mette fin de façon anticipée. Ces événements sont énumérés par l'article 1464 NCPC qui, à côté de l'expiration du délai d'arbitrage, conventionnel ou légal, cite six autres causes, toutes liées directement à l'arbitre. Ces causes sont la révocation, le décès, l'empêchement, la récusation, l'abstention de l'arbitre ainsi que la perte du plein exercice de ses droits civils.

a) La révocation de l'arbitre. La révocation de l'arbitre, ou de l'ensemble du tribunal arbitral, est l'acte par lequel les parties lui ôtent le litige. Elle n'est soumise à aucune autre condition que celle prévue par l'article 1462, alinéa 2, NCPC qui dispose qu'elle doit recueillir le consentement unanime des parties.

Si la révocation d'un arbitre l'empêche de poursuivre ses fonctions, elle met également fin à l'instance arbitrale. De la sorte, lorsque les parties ont décidé de recourir à l'arbitrage par le biais soit d'un compromis, soit d'une clause compromissoire qui désignait les arbitres, le litige pourra être porté par l'une des parties devant les juridictions étatiques. Cette solution, sévère, s'explique par l'origine contractuelle de la procédure arbitrale. L'effet indiqué ne se produit néanmoins qu'à défaut de conventions particulières des parties. C'est ainsi que l'arbitrage pourra se poursuivre si les parties ont convenu du remplacement de l'arbitre révoqué, à l'instar de ce que prévoient la plupart des règlements des institutions permanentes d'arbitrage.

b) L'empêchement de l'arbitre. L'empêchement de l'arbitre est causé par tout événement, de fait ou de droit, mettant obstacle à la poursuite de sa fonction. Il peut par exemple s'agir d'une maladie, d'un accident, d'un éloignement ou de l'apparition en cours d'instance arbitrale d'une incapacité d'exercice des fonctions d'arbitre.

Comme la révocation, l'empêchement, sauf conventions particulières des parties, met définitivement fin à l'instance arbitrale.

c) Le décès de l'arbitre. C'est une cause naturelle et évidente de cessation anticipée de la mission arbitrale, qui produit des effets identiques à ceux qui ont été indiqués pour la révocation et l'empêchement.

d) La perte par l'arbitre du plein exercice de ses droits civils. Elle entraîne pour l'arbitre une incapacité d'exercer ses fonctions. Cela résulte de l'exigence posée par l'article 1451, alinéa 1er, NCPC, selon lequel pour être désignée arbitre une personne doit avoir le plein exercice de ses droits civils. Les effets produits par la perte par l'arbitre du plein exercice de ses droits civils sont les mêmes que ceux déjà précédemment indiqués.

e) La récusation de l'arbitre. Les causes de récusation de l'arbitre sont les mêmes que celles prévues par l'article 341 NCPC pour le juge étatique. Ainsi, un arbitre peut notamment faire l'objet d'une récusation en cas d'existence pour lui-même ou son conjoint :

– d'un intérêt personnel à la contestation ;
– d'un procès antérieur entre lui et l'une des parties ou son conjoint ;
– d'une connaissance préalable de l'affaire en qualité de juge ou de conseil ;
– d'un lien de subordination entre lui et l'une des parties ou son conjoint ;
– d'une amitié ou inimitié notoire entre lui et l'une des parties.

L'examen des difficultés relatives à la récusation d'un arbitre ne relève pas de la compétence exclusive du juge étatique. En effet, dans le cadre de l'arbitrage institutionnel, un grand nombre de règlements prévoient que les demandes de récusation sont examinées par un organe du centre permanent d'arbitrage ; en pratique, cette fonction est le plus souvent dévolue au président de la chambre arbitrale.

f) L'abstention de l'arbitre. L'abstention de l'arbitre diffère des autres événements mettant prématurément fin à la mission de l'arbitre en ce qu'elle est un acte volontaire. Par l'abstention (on parlait autrefois de déport) l'arbitre cesse de lui-même d'exercer ses fonctions alors qu'elles ne sont pas encore arrivées à leur terme. L'article 1463, alinéa 1er, NCPC dispose que l'arbitre ne peut s'abstenir « que pour une cause de récusation qui se serait révélée ou serait survenue depuis sa désignation », toute cause antérieure devant être portée à la connaissance des parties par l'arbitre avant qu'il accepte sa mission (art. 1452, al. 2, NCPC). Si l'arbitre s'abstient alors que n'existe en sa personne aucune cause de récusation ou aucun motif légitime d'empêchement, il est susceptible de voir sa responsabilité engagée et d'être condamné au paiement de dommages-intérêts. Mais qu'elle soit ou non fautive, cette abstention met fin à l'instance arbitrale dans les mêmes conditions que dans tous les cas précédents.

II. – La procédure arbitrale

La procédure arbitrale est soumise à des règles et suit un déroulement bien précis.

1. Les règles applicables à la procédure arbitrale.
La procédure arbitrale est soumise aux principes directeurs du procès, mais pas aux règles de la procédure judiciaire.

A) *L'affranchissement des règles de la procédure judiciaire.* – En vertu de l'article 1460, alinéa 1er, NCPC, « les arbitres règlent la procédure arbitrale sans être tenus de suivre les règles établies pour les tribunaux, sauf si les parties en ont autrement décidé dans la convention d'arbitrage ». Se trouve ainsi posé le principe de la libre détermination par les parties des règles de procédure. Elles peuvent soit définir conventionnel-lement les règles de procédure qui leur conviennent, soit décider de recourir aux règles applicables devant le juge étatique. Les stipulations des parties relatives aux règles applicables à la procédure arbitrale doivent figurer dans leur convention d'arbitrage, clause com-promissoire ou compromis. Dans l'hypothèse où elles n'ont rien prévu à ce sujet, ce sont les arbitres qui fixent librement les règles applicables. Les parties et les arbitres disposent ici d'une liberté qui leur permet d'adapter la procédure à la spécificité du litige et d'obtenir ainsi toute la souplesse nécessaire.

B) *Le respect des principes directeurs du procès.* Si les arbitres ont la liberté de régler la procédure arbi-trale, ils ne sont pas dispensés de respecter les principes directeurs du procès. En effet, l'article 1460, alinéa 2, décide que les principes énoncés aux articles 4 à 10, 11, alinéas 1er et 13 à 21, du même code s'imposent tou-jours à l'arbitre, y compris lorsqu'il statue en tant qu'amiable compositeur. Ces règles, principalement, interdisent à l'arbitre de sortir des limites de l'objet du litige, indiquent les faits qui peuvent être pris en consi-dération par le tribunal arbitral, précisent le régime de la preuve et prévoient les modalités de défense des par-ties, défense qu'elles peuvent assumer elles-mêmes ou confier à toute personne de leur choix. Le renvoi effec-tué par l'article 1460, alinéa 2, confère aux arbitres des pouvoirs d'instruction similaires à ceux dont disposent les juges étatiques. Tout comme ces derniers, les arbi-tres doivent veiller à l'application du principe du con-tradictoire, dont la violation est très souvent invoquée par les parties à l'appui de leurs recours en annulation. Enfin, la référence à l'article 21 NCPC fait entrer la conciliation dans la mission des arbitres.

2. Le déroulement de la procédure arbitrale. – Une fois l'arbitre saisi et la communication des pièces et conclusions effectuée, se déroule l'instruction qui précède le délibéré. Le tribunal arbitral peut également être amené à régler les incidents qui peuvent éventuellement surgir au cours de l'instance arbitrale.

A) *La saisine de l'arbitre.* – L'article 1445 NCPC dispose que l'arbitre est saisi soit conjointement par les parties, soit par la partie la plus diligente, par une demande d'arbitrage. Pour que la saisine produise effet, il est nécessaire que les arbitres aient été désignés et aient accepté leur mission. Depuis la réforme de 1980 la saisine directe est toujours possible, même en présence d'une clause compromissoire puisque le législateur a supprimé l'obligation d'établir un compromis une fois le litige né. Si ce dernier n'est plus légalement imposé, il peut néanmoins être très utile d'en rédiger un, notamment pour fixer l'objet du litige dont le contenu marque les limites exactes de l'investiture de l'arbitre. À défaut de compromis, la mission des arbitres peut également être déterminée dans un acte de mission ou dans le procès-verbal de la première réunion entre les parties et les arbitres, ces pratiques étant fréquentes.

Quoi qu'il en soit, il est important que puisse être clairement identifiée la date à laquelle a été effectuée la demande d'arbitrage car cette dernière interrompt les prescriptions qui peuvent éventuellement courir. Il est donc souhaitable que la demande d'arbitrage soit établie selon un certain formalisme, par exemple une lettre recommandée. En matière d'arbitrage institutionnel c'est en principe le règlement d'arbitrage qui indique comment doit être formée la demande d'arbitrage.

B) *La communication des pièces et des conclusions.*
Tout comme elles le feraient devant le juge étatique les parties doivent accompagner, l'une sa demande, l'autre sa défense, de conclusions et de pièces (mémoires en demande, mémoires en défense, etc.). Celles-ci sont communiquées selon certaines modalités et dans un délai donné. Les pièces peuvent par ailleurs faire l'objet d'une injonction de communication.

a) Les modalités de la communication. Que l'on soit dans le cadre de l'arbitrage ou de la justice étatique, les pièces et conclusions d'une partie doivent être communiquées tant aux arbitres qu'à l'autre partie, conformément à ce qu'exige le respect du principe du contradictoire. La production des pièces et conclusions dans le procès arbitral n'est cependant pas soumise aux règles qui s'imposent devant le juge. Ainsi, elle peut être entièrement écrite ou entièrement orale ou encore partiellement écrite et orale. En pratique, la communication des conclusions est souvent écrite. Mais le plus souvent se déroulent également des réunions avec les arbitres, à l'occasion desquelles ont lieu des débats oraux. Ceux-ci sont généralement consignés par les arbitres dans des procès-verbaux de réunion.

b) Le délai de communication. La loi ne fixe aux parties aucun délai prédéterminé pour la communication de leurs pièces. Elle impose toutefois que cette production soit effectuée avant la date de mise en délibéré dont l'article 1468 NCPC indique qu'elle est fixée par l'arbitre. Une fois cette date passée, les parties ne peuvent plus fournir de nouvelles conclusions ni communiquer de nouvelles pièces, sauf à la demande de l'arbitre (art. 1468, al. 2, NCPC).

c) L'injonction de communication de pièces. L'article 1460, alinéa 3, NCPC autorise l'arbitre à enjoindre à une partie de produire des éléments de preuve qu'elle détient. Cette disposition est très proche de l'article 11 NCPC, à la différence près que l'arbitre ne peut pas, en cas de refus de l'intéressé, lui infliger une astreinte. Il peut seulement tirer toutes conséquences de ce refus. Le caractère conventionnel de l'arbitrage empêche également l'arbitre d'enjoindre la communication d'une pièce lorsqu'elle est détenue par un tiers.

C) *L'instruction.* – L'article 1461, alinéa 1er, NCPC exige que l'instruction soit menée par l'ensemble des arbitres. Ceux-ci peuvent cependant déléguer à l'un d'eux le pouvoir d'instruire le litige si cette possibilité est prévue dans la convention d'arbitrage.

a) Auditions, etc. Les arbitres disposent pour instruire le litige de tous les pouvoirs nécessaires. En effet le renvoi de l'article 1460 NCPC à l'article 10 du même code leur permet « d'ordonner d'office toutes les mesures d'instruction légalement admissibles ». De la sorte, le tribunal arbitral pourra entendre des témoins qui déposent néanmoins sans prestation de serment (art. 1461, al. 2, NCPC), les arbitres, qui ne sont pas investis de leurs fonctions par l'État, n'ayant pas la qualité requise pour recevoir une telle prestation. Les arbitres peuvent aussi ordonner des visites sur les lieux ou décider d'entendre des sachants.

b) Expertises. Il est également fréquent que les arbitres demandent une expertise. Généralement ils procèdent eux-mêmes à la désignation des experts, à la détermination de leur mission – laquelle ne doit en aucun cas se substituer à la fonction juridictionnelle dévolue aux seuls arbitres –, ainsi qu'à la fixation du délai dans lequel l'expert doit rendre son rapport. Il est généralement prévu que ce délai suspend celui de l'arbitrage, lequel, à défaut d'une telle prévision, continue à courir. L'expertise doit être menée dans le respect des droits de la défense et du principe du contradictoire.

Il convient de remarquer que si des expertises sont fréquemment menées dans le cadre d'instances arbitrales, le recours à l'arbitrage permet également de s'en dispenser lorsque est nommé un arbitre ayant les compétences techniques nécessaires.

D) *Les incidents de l'instance.* – Un certain nombres d'incidents peuvent survenir tout au long de la procédure arbitrale. Certains concernent la personne même de l'arbitre ; il s'agit de la révocation, du décès, de l'empêchement, de l'abstention et de la récusation de l'arbitre, qui mettent fin à l'instance arbitrale comme on l'a vu. Ces difficultés relèvent de la compétence du juge étatique, ou éventuellement de celle de l'institution d'arbitrage chargée de l'organisation. Les incidents relatifs à la compétence et à l'investiture de l'arbitre sont en revanche tranchés par ce dernier (art. 1466 NCPC), de même que les incidents de vérification d'écriture ou de faux, du moins lorsque les parties n'en ont pas convenu autrement et lorsqu'il ne s'agit pas d'une inscription de faux incidente (art. 1467 NCPC).

La survenance d'un incident criminel relève du droit commun, de sorte que l'adage « le criminel tient le civil en état » oblige les arbitres à surseoir à statuer jusqu'à l'extinction de l'action publique.

Les incidents qui ressortissent de la compétence des arbitres sont soit joints au fond de l'affaire et réglés dans la sentence définitive, soit tranchés dans une sentence avant dire droit.

E) *Le délibéré arbitral.* – Une fois close l'instruction du litige, intervient le délibéré arbitral, ultime étape de l'instance arbitrale au cours de laquelle les arbitres vont se concerter en vue de rendre leur décision. La date de mise en délibéré est librement fixée par les arbitres, ce qui apporte une souplesse toujours bienvenue s'agissant d'une procédure d'arbitrage. Cependant les arbitres doivent veiller à ne pas fixer cette date trop rapidement, chaque partie devant avoir eu le temps de faire valoir tous ses arguments, ou trop près de l'expiration du délai d'arbitrage, les arbitres devant disposer d'un temps suffisant pour délibérer.

À partir du moment où l'affaire est mise en délibéré, aucune demande ne peut plus être formée, aucun moyen soulevé et aucune pièce produite, excepté si l'arbitre le demande (art. 1468, al. 2, NCPC). Le délibéré arbitral n'est soumis à aucune condition de forme particulière. Ainsi, s'il est fréquent en pratique que les délibérations aient lieu lors d'une réunion de l'ensemble des arbitres, elles peuvent aussi se dérouler téléphoniquement ou par correspondance. Tout ce qui importe est que le délibéré ait effectivement lieu et qu'il permette de dégager une majorité, laquelle est beaucoup plus facile à obtenir depuis qu'est exigée l'imparité du nombre d'arbitres.

Comme pour les juges, les délibérations des arbitres sont secrètes (art. 1469 NCPC), de sorte qu'elles ne peuvent être dévoilées ni à des tiers ni aux parties à la connaissance desquelles ne sera portée que la seule sentence arbitrale.

Chapitre VI

LA SENTENCE ARBITRALE
ET LES VOIES DE RECOURS

La sentence arbitrale (I) est la décision par laquelle les arbitres, conformément aux pouvoirs que leur confère la convention arbitrale, tranchent les questions litigieuses qui leur ont été soumises par les parties. Étant donné ses caractères la sentence arbitrale fait l'objet d'un système de voies de recours fortement aménagé (II).

I. – La sentence arbitrale

Comme les décisions judiciaires les sentences arbitrales peuvent être de plusieurs types. On distingue ainsi les sentences définitives des sentences avant-dire-droit qui se divisent elles-mêmes en sentences préparatoires, destinées à ordonner une mesure d'instruction, et en sentences provisoires, par lesquelles sont ordonnées des mesures provisoires ou qui tranchent un point préliminaire.

C'est plutôt sur le double plan de la nature et des conditions que la sentence arbitrale présente une spécificité à rappeler.

1. **Nature juridique de la sentence.**

A) *Caractère juridictionnel.* – La nature juridique de la sentence a longtemps été discutée en doctrine : avait-elle un caractère juridictionnel, contractuel ou mixte ?

Bien que la réforme du droit de l'arbitrage ait substitué le terme de « sentence » à celui de « jugement », consacrant ainsi le vocable le plus utilisé en pratique, le caractère juridictionnel de la sentence n'offre plus matière à discussion, car les articles 1475 et 1476 NCPC qui traitent respectivement du dessaisissement de l'arbitre et de l'autorité de la chose jugée comportent des solutions étroitement alignées sur le droit judiciaire.

Pour autant la sentence conserve un caractère contractuel sous certains aspects car elle procède d'un contrat entre ceux qui ont convenu de l'arbitrage. Ainsi la sentence est-elle inopposable aux tiers, et l'intervention, volontaire ou forcée, comme l'appel en garantie sont-ils exclus.

C'est cette essence juridictionnelle qui permet de caractériser l'arbitrage par rapport aux autres cas où les parties sollicitent l'intervention d'un tiers dans le cours d'un différend : médiation, transaction, expertise. En particulier la qualification de sentence doit être écartée lorsque la solution du litige ne repose pas sur un « acte décisoire » de l'arbitre : il y aura alors lieu de penser qu'on est en présence d'une transaction. De même n'est pas une sentence l'acte par lequel l'arbitre se limite à rendre un avis : le rapprochement avec une expertise à titre privé s'imposera alors. En cas de doute, qui sera exclu si les arbitres ont pris soin d'énoncer leur décision sous forme de dispositif, ce que la loi ne leur impose pas contrairement aux juges (cf. art. 455, al. 1er, NCPC), l'interprétation de la nature précise de l'acte relève du pouvoir souverain des juges du fond.

B) *Cas de la sentence au deuxième degré.* – Aux termes de l'article 1455 *in fine*, « la personne chargée d'organiser l'arbitrage peut prévoir que le tribunal arbitral ne rendra qu'un projet de sentence et que si ce projet est contesté par une des parties l'affaire sera soumise à un deuxième tribunal arbitral ». Dans cette hypothèse le projet défini par le premier tribunal ne possède pas le caractère d'une sentence : aura en revanche cette qualité la décision rendue « au deuxième degré » par le deuxième tribunal appelé.

Après avoir examiné les conditions que doit remplir la sentence ainsi que son objet, nous verrons quels sont ses effets.

2. **Conditions de la sentence.** – La sentence doit remplir des conditions de forme et de fond.

A) *Les conditions de forme.* – La sentence est un acte écrit, motivé et signé.

a) Écrit. La sentence est soumise à des conditions précises prévues par les articles 1471 à 1473 NCPC. Elle doit exposer succinctement les prétentions respectives des parties, être motivée et comporter impérativement un certain nombre d'indications, à savoir :

- le nom, les prénoms ou la dénomination des parties, ainsi que leur domicile ou siège social, aux fins d'identification ;
- le nom des arbitres qui l'ont rendue, afin de garantir que les auteurs de la sentence sont bien les mêmes personnes que celles investies par la convention d'arbitrage ;
- la date à laquelle elle a été rendue, afin d'assurer le respect des délais impartis ;
- le lieu où elle a été rendue, afin de déterminer le juge compétent pour donner l'*exequatur* ;
- le cas échéant, le nom de l'avocat des parties ou de toute personne les ayant représentées ou assistées ; en effet les avocats n'ont pas le monopole de la représentation devant un tribunal arbitral.

b) Motivation. L'article 1471, alinéa 2, NCPC énonce simplement : « La décision doit être motivée. » L'obligation de motiver est d'ordre public et s'applique à toutes les catégories de sentences, y compris pour l'amiable composition. Conformément à la règle qui s'est toujours appliquée même en l'absence de texte par analogie avec la justice étatique, il est important que le texte de la sentence comporte les éléments qui ont fondé la décision des arbitres. L'insuffisance ou la contrariété de motifs constitue un cas d'ouverture au recours en annulation.

c) Signature. Les arbitres doivent tous signer la sentence (art. 1473 NCPC), ceci afin de garantir que la sentence est bien leur œuvre commune. Toutefois, si une minorité des arbitres refuse de le faire, les autres peuvent néanmoins rendre la sentence sous condition de mentionner ce défaut de signature à peine de nullité : ainsi une minorité insatisfaite ne pourra vider de tout effet une sentence par son refus de signer.

B) *Les conditions de fond.* – Outre la prescription générale de l'article 1474 NCPC qui prévoit que le litige doit être tranché en application des règles de droit, sauf si les parties ont confié à l'arbitre des pouvoirs d'amiable compositeur, la sentence doit vérifier trois conditions de fond : elle doit être rendue après délibération – celle-ci devant en principe être secrète – et à la majorité des voix.

a) Nécessité d'une délibération. Sa nécessité est évidente et doit être considérée comme une prescription d'ordre public visant à protéger les droits de la défense : en désignant leurs arbitres, les parties expriment le désir que ceux-ci confrontent leurs points de vue avant de rendre une sentence. Le cas normal sera celui d'une délibération orale, mais l'article 1460, qui reconnaît aux arbitres le pouvoir de ne pas suivre les règles édictées pour les tribunaux sauf si les parties en ont expressément convenu, fait échapper à la nullité le cas où l'essentiel du délibéré résulterait d'un échange de courrier ou du recours à un système de communication élaboré (vidéoconférence, multiplex, etc.). La sanction de l'absence de délibéré est la nullité de la sentence mais la preuve de cette carence, qui incombe à la partie qui entend faire annuler la sentence, peut être délicate à rapporter.

b) Secret des délibérations. Comme pour les juges, les délibérations des arbitres sont secrètes (art. 1469 NCPC), de sorte qu'elles ne peuvent être dévoilées ni à des tiers ni aux parties à la connaissance desquelles ne sera portée que la seule sentence arbitrale.

Pour autant le secret des délibérations n'a pas pour les arbitres une force aussi contraignante, ceux-ci n'ayant pas prêté serment comme les juges. S'il signifie indubitablement que la présence au délibéré des parties ou des tiers est totalement exclue, il ne s'oppose pas à ce que soit mentionnée la dissension d'un arbitre qui ne s'aligne pas sur la décision majoritaire. Cette faculté ne va pas jusqu'à permettre à l'arbitre minoritaire de faire état publiquement de son point de vue soit dans la sentence, soit à l'extérieur, en exposant les raisons de son opposition, ce qui porterait directement préjudice au caractère collégial de la décision, et indirectement à l'indépendance de tous les arbitres.

c) Majorité des voix. L'article 1470 NCPC dispose que la sentence doit être rendue à la majorité des voix. Depuis que l'article 1453 NCPC impose l'imparité du nombre des arbitres, cette majorité peut être obtenue plus facilement dans la plupart des cas où les solutions sont tranchées. Il peut se produire que plus de deux solutions soient en concours, mais l'hypothèse bloquante où il existe autant d'avis tranchés et inconciliables que d'arbitres, sans être absurde, est extrêmement rare.

Lorsque la sentence ne résulte pas d'une unanimité, il est nécessaire de mentionner qu'elle résulte d'une simple majorité, indication qui n'est pas contraire à la règle du secret du délibéré. Toutefois cette mention n'est pas une obligation prescrite à peine de nullité, car l'article 1470 NCPC n'est pas visé par l'article 1480. En pratique, la minorité « rebelle » parviendra toujours, si la mention est d'importance pour elle, à la faire insérer, sous la menace de bloquer la délibération.

3. **Objet de la sentence.** – La sentence doit apporter une réponse aux demandes des parties et fixer le sort des dépens.

A) *La solution du litige.* – Les arbitres doivent apporter dans leur sentence une solution au litige à eux soumis par les parties.

Ainsi les arbitres qui statuent *ultra petita,* c'est-à-dire sur une question qui ne leur a pas été soumise – sachant que l'arbitre peut trancher toutes les questions *connexes* ou accessoires qui font corps avec le litige –, s'exposent à ce que leur sentence fasse l'objet d'un appel (si cette éventualité n'a pas été exclue) ou d'un recours en annulation ; en effet, dans ce cas l'arbitre a statué sans se conformer à la mission qui lui a été confiée.

Traditionnellement il en allait de même pour les sentences *infra petita,* qui, à l'opposé, ne se prononcent pas sur tous les chefs de demande. Désormais, l'article 1475 NCPC reconnaît à l'arbitre le pouvoir de compléter sa sentence sur un chef de demande non évoqué malgré le dessaisissement entraîné par la sentence.

Si le litige est complexe, il pourra être réglé par des sentences distinctes, chacune statuant sur une question, sauf si la convention d'arbitrage impose une sentence unique.

B) *Les dépens*. – Les dépens comprennent les frais entraînés par l'instance arbitrale et ceux engagés pour les mesures d'instruction que les arbitres ont pu ordonner. Les dépens constituent un accessoire du litige ; les arbitres sont donc en droit de les fixer et de les répartir comme ils l'entendent.

La répartition des dépens peut être fixée dans la convention d'arbitrage : celle-ci peut stipuler que tous les dépens seront à la charge de la partie qui succombe comme le prévoient certains règlements.

Sauf lorsque la convention l'a contraint à suivre les règles de droit, l'arbitre n'est pas obligé de condamner la partie perdante aux dépens conformément à l'article 696 NCPC. L'expérience enseigne que les arbitres tendent souvent à répartir les dépens – voire les mettre entièrement à la charge de la partie qui triomphe –, en motivant cette décision par une considération d'équité ou d'opportunité.

L'usage est que les parties, dès le début de la procédure, constituent entre les mains des arbitres ou auprès de l'institution d'arbitrage une provision destinée à faire face aux frais de procédure.

4. **Effets de la sentence.** – Les arbitres ne sont pas tenus de rendre publiquement la sentence, sauf dans le cas où ils auraient obligation de suivre les règles des tribunaux. La sentence est considérée comme rendue dès qu'elle est portée à la connaissance des parties par une notification.

La sentence, dès lors qu'elle est rendue, produit les mêmes effets qu'un jugement, sauf en ce qui concerne son exécution qui est soumise à des règles particulières ; elle a l'autorité de la chose jugée et la force probante attachée aux actes authentiques.

A) *Dessaisissement de l'arbitre.* – L'article 1475, alinéa 1er, NCPC dispose que « la sentence dessaisit l'arbitre de la contestation qu'elle tranche » consacrant ainsi la jurisprudence antérieure à la réforme de 1980.

a) Principe et exceptions. En rendant sa sentence, si celle-ci présente un caractère définitif et non seulement préparatoire, l'arbitre a épuisé son pouvoir juridictionnel : il ne pourra donc pas statuer une nouvelle fois sur le litige. Néanmoins, en cas de nullité de la sentence, les arbitres pourront substituer une nouvelle sentence à la sentence nulle si telle est la volonté des parties (art. 1485 NCPC) : l'annulation a fait disparaître rétroactivement la sentence et le litige peut donc être soumis à nouveau aux mêmes arbitres si la validité de la convention d'arbitrage n'est pas en cause.

Ce principe comporte toutefois quelques exceptions, prévues par l'article 1475, al. 2 :

- l'arbitre dispose tout d'abord du pouvoir, non limité dans le temps, d'interpréter sa sentence, c'est-à-dire d'expliciter un élément du dispositif qui manquerait de clarté, ce qui peut se produire lorsque le style juridique n'est pas maîtrisé ;
- il peut de même rectifier les erreurs et oublis matériels qui entachent sa décision ;
- il peut enfin compléter sa sentence quand il a omis de statuer sur un chef de demande.

b) Interprétation de la sentence arbitrale. Avant que la réforme n'ait levé toute ambiguïté sur ce point on considérait que le pouvoir de l'arbitre d'interpréter sa sentence tombait avec le délai imparti pour juger. Le texte a donc imposé la considération qu'interpréter n'est pas juger et donc que le dessaisissement ne fait pas obstacle à ce que l'arbitre explicite ultérieurement sa sentence ; cette conception est conforme à l'intérêt des parties qui entendaient soustraire leur différend à la justice d'État en recourant à l'arbitrage.

Cette notion d'interprétation doit être envisagée strictement : il faut que les arbitres soient saisis par l'une quelconque des parties d'une demande en interprétation à laquelle il est répondu par une sentence interprétative, qui peut être très brève, mais doit respecter les formes d'une sentence. En l'absence d'une telle sentence, l'opinion d'un ou plusieurs arbitres sur la sentence rendue n'a que la portée d'un commentaire officieux non soumis au principe du contradictoire.

L'arbitre ne peut remettre en cause, sous couvert d'interprétation, ce qui a été jugé. Aussi le recours contre la sentence interprétative est-il recevable pour faire échec à toute modification du jugement.

Le tribunal peut ne plus être en mesure d'interpréter sa sentence (éloignement ou décès d'un arbitre, survenance d'un conflit d'intérêt, etc.) ; dans ce cas il est clair que le pouvoir interprétatif passe à la juridiction qui aurait été compétente à défaut d'arbitrage.

c) Réparation des erreurs et omissions matérielles. La solution retenue par le droit judiciaire (art. 462 NCPC) a été étendue à l'arbitrage. Comme en matière d'interprétation la réparation des erreurs ou omissions ne doit pas conduire à une modification de la sentence et la décision rectificative est prise par voie de sentence après que les arbitres en eurent été régulièrement saisis. Si la sentence a été frappée d'appel c'est à la juridiction saisie d'apporter la rectification.

d) Complètement de la sentence. En ce qui concerne l'*omission* de statuer sur un chef de demande, la considération qui sous-tend le texte est que, sur le point précis de la question omise, l'arbitre n'a pas pris position et donc conserve sa faculté de juger.

Pour autant la réparation de l'omission doit respecter deux conditions : ne pas porter atteinte à la chose jugée pour les autres parties de la sentence et intervenir dans le délai d'un an au plus tard après que la décision est passée en force de chose jugée.

Au-delà il faudra considérer qu'il s'agit d'une demande nouvelle couverte par la clause compromissoire initiale ou justiciable d'un nouveau compromis. Dans l'hypothèse où une voie de recours aurait été exercée, la juridiction saisie devra surseoir à statuer jusqu'à ce que les arbitres aient complété leur sentence.

B) *Autorité de la chose jugée.* – La sentence a l'autorité de la chose jugée dès son prononcé relativement à la contestation qu'elle tranche (art. 1476 NCPC). Ainsi les sentences avant-dire droit ou ordonnant une mesure provisoire n'ont pas l'autorité de la chose jugée.

Les effets de l'autorité de la chose jugée pour les sentences arbitrales sont les mêmes que ceux qu'elle produit en droit commun. Ce qui a été jugé par les arbitres, sous réserve de la triple identité prescrite par l'article 1351 Code civ. (mêmes demandes, même cause, mêmes parties), ne peut plus être rejugé par d'autres arbitres ou par une juridiction d'État. La décision n'a d'autorité qu'à l'endroit des parties à l'instance arbitrale. De ce fait, comme en droit commun, la sentence n'est pas opposable aux véritables tiers ni aux ayants cause dont le droit est né avant le prononcé de la sentence.

En matière d'arbitrage, toujours comme en droit commun, l'autorité de la force jugée ne présente pas un caractère d'ordre public sauf lorsqu'il est statué sur les suites d'une précédente décision passée en force de chose jugée.

La partie qui a obtenu satisfaction peut se prévaloir de la sentence ainsi revêtue de l'autorité de la force jugée pour en tirer tous les moyens de droit dont la mise en œuvre n'est pas subordonnée à l'*exequatur* et, par exemple, faire jouer à son profit la compensation légale dans les termes prévus par l'article 1291 du Code civil ou procéder à une saisie-arrêt entre les mains d'un tiers débiteur de la partie perdante.

C) *Force probante de la sentence.* – En dépit du silence des textes, il est admis que la sentence arbitrale a la même force probante qu'un acte authentique. Ceci tient à ce que les arbitres rendent leur sentence non en qualité de mandataires des parties, mais en qualité de titulaires d'une fonction juridictionnelle.

Cette force probante connaît toutefois des limites : les énonciations de la sentence ne peuvent à elles seules prouver la volonté de compromettre des parties et l'existence des pouvoirs dont les arbitres se prétendent investis. Les énonciations de la sentence font donc foi jusqu'à inscription de faux. Par exemple si la sentence fait état d'une prorogation de délai acceptée par les parties, et que cette affirmation soit inexacte, l'inscription de faux sera admise. En revanche, le silence de la sentence n'a pas force probante, comme en droit commun de la preuve.

5. **Exécution de la sentence.** – En principe, la sentence doit être exécutée spontanément par les parties. Mais, si l'une des parties s'y refuse, la décision arbitrale ayant l'autorité de la chose jugée mais pas la force exécutoire, d'une part, et l'arbitre étant dans l'impossibilité de prononcer une astreinte, d'autre

part, la sentence devra alors faire l'objet d'une procédure d'*exequatur*. C'est en effet une règle dans la plupart des droits que l'octroi de la force exécutoire à une sentence rendue par des particuliers soit subordonné à un contrôle judiciaire ; aussi toute convention d'arbitrage qui dispenserait une partie de cet *exequatur* pour l'exécution serait-elle inefficace.

La sentence arbitrale est par ailleurs susceptible d'exécution provisoire.

A) *L'* exequatur. – L'*exequatur* est la décision par laquelle l'autorité judiciaire compétente donne force exécutoire à une sentence arbitrale ; elle consiste en l'apposition sur la sentence de la formule exécutoire qui est une prérogative des présidents de juridiction. Précisons que si le terme *exequatur* s'applique à la décision même, il désigne également l'ordre d'exécution donné par l'autorité compétente.

*a) Compétence en matière d'*exequatur. La procédure d'*exequatur* est déclenchée par un arbitre ou par la partie la plus diligente. Elle se déroule en principe devant le juge de l'exécution du TGI dans le ressort duquel la sentence a été rendue (art. 1477) ; elle peut également se dérouler devant le président de la cour d'appel lorsque la sentence fait l'objet d'un recours (art. 1479, al. 2). La minute de la sentence et un exemplaire de la convention d'arbitrage (ou à défaut un extrait des conventions contractuelles comprenant la clause compromissoire) doivent être déposés au secrétariat de la juridiction compétente (art. 1477, al. 2). Aucun délai n'est fixé pour le dépôt de la sentence dont l'exécution peut être poursuivie pendant trente ans.

*b) L'ordonnance d'*exequatur. Le juge de l'*exequatur* rend une ordonnance. L'*exequatur* doit être accordé ou refusé en totalité, il n'y a pas d'*exequatur* partiel ou sous réserve.

Lorsque l'*exequatur* est obtenu, il est apposé sur la minute de la sentence arbitrale sans nécessité de motivation ; au contraire, la décision doit être motivée lorsqu'elle refuse d'accorder l'*exequatur*.

L'ordonnance d'*exequatur* n'est susceptible d'aucun recours (art. 1488). Toutefois l'exercice d'une voie de recours contre la sentence emporte recours contre l'ordonnance du juge d'*exequatur* ou son dessaisissement (art. 1488, al. 2). En revanche, l'ordonnance qui refuse l'*exequatur* est susceptible d'appel (art. 1489) ; l'appel doit intervenir dans le mois qui court à compter de la signification de la sentence « exequaturée ». Ces règles ont été instituées pour éviter la coexistence entre des voies de recours parallèles dans le contentieux postarbitral.

*c) Le contrôle du juge de l'*exequatur. Ce contrôle est assez restreint. Il permet seulement au juge de l'*exequatur* de contrôler que la sentence est bien une sentence arbitrale, c'est-à-dire un acte décisoire, et qu'elle n'est pas entachée d'un vice grave. Celui-ci ne peut pas réviser la sentence au fond en en modifiant le contenu ou en y apportant un complément. Il vérifie la conformité de la sentence à l'ordre public, puisqu'il n'est pas possible de donner force exécutoire à une décision qui viole délibérément l'ordre public, ainsi que la régularité formelle de celle-ci. Mais le contrôle de la régularité doit se borner à une régularité apparente, faute de quoi l'exercice normal des voies de recours serait vidé d'une partie de son intérêt. Aussi les refus d'*exequatur* sont-ils rares.

*d) Les effets de l'ordonnance d'*exequatur. L'*exequatur* ne change pas la nature juridique de la sentence arbitrale, mais la rend exécutoire et en permet l'exécution forcée.

L'obtention de l'ordonnance d'*exequatur* fait par ailleurs courir le délai des voies de recours (art. 1486, al. 2).

B) *L'exécution provisoire de la sentence.* – Elle est en principe accordée par l'arbitre conformément aux dispositions applicables à l'exécution provisoire des jugements, qui valent pour les sentences arbitrales (art. 1479, al. 1). En particulier, seront exécutoires à titre provisoire les sentences prescrivant des mesures conservatoires (saisie-arrêt).

Mais elle peut également l'être par le juge étatique, lorsque la sentence fait l'objet d'un appel ou d'un recours en annulation, dans les conditions prévues par l'article 1479, alinéa 2, NCPC. Dans ce cas le premier président (ou le magistrat chargé de la mise en état) peut accorder l'*exequatur* à la sentence arbitrale assortie de l'exécution provisoire. Lorsqu'il y a urgence et que l'exécution provisoire n'a pas été accordée par l'arbitre, ou n'a pas été demandée à l'arbitre, ou que celui-ci a refusé de statuer, le juge étatique peut alors prononcer l'exécution provisoire et cette décision vaut alors *exequatur* (art. 1479, *in fine*).

Inversement, toujours parce que les règles de l'exécution provisoire des jugements sont applicables aux sentences arbitrales, l'exécution provisoire ordonnée par l'arbitre peut être, lorsqu'une voie de recours a été formée et que l'exécution provisoire risque d'entraîner des conséquences excessives, suspendue par le premier président, statuant en référé.

II. – **Les voies de recours contre la sentence**

Ce sujet constitue l'un des traits les plus marquants de la réforme intervenue en 1980. Les textes ont en effet introduit une grande simplification en consacrant pour l'essentiel des solutions dégagées par la jurisprudence antérieure mais en écartant les incertitudes que celle-ci laissait subsister.

1. Exclusion de l'opposition et de la cassation. – Il est de principe qu'en matière d'arbitrage deux voies de recours sont *a priori* exclues, l'opposition et le pourvoi en cassation (1481, al. 1, NCPC) :

– *L'opposition* car l'arbitrage résultant d'une convention entre les parties, on ne conçoit pas que l'une de celles-ci puisse ne pas avoir été partie dans la décision de recourir à l'instance arbitrale. Elle peut en revanche avoir fait preuve de mauvaise volonté au moment de la mise en place de l'arbitrage, en refusant par exemple de désigner son arbitre, mais cette hypothèse a déjà été envisagée lors de la constitution du tribunal arbitral.

– Le *pourvoi en cassation* ne peut être davantage admis, car la mission de veiller à l'unité de jurisprudence dont la Cour de cassation est investie ne concerne que les juridictions d'État ; de plus, le pourvoi n'est ouvert que pour les décisions rendues en dernier ressort, ce qui n'est pas le cas des arbitrages, même lorsque l'appel est exclu par les parties, exclusion qui résulte de leur volonté et non de l'organisation judiciaire.

Ce n'est pas à dire que la Cour de cassation n'ait pas à connaître de litiges primitivement déférés à l'arbitrage ; mais c'est que ces litiges ont donné lieu à un examen par une cour d'appel du fait des voies de recours normalement ouvertes : le pourvoi est alors exercé contre l'arrêt rendu par la cour d'appel.

Parmi les voies de recours ouvertes on distingue les voies de recours ordinaires, qui peuvent être exercées systématiquement, des voies de recours extra-ordinaires, que la loi n'offre que dans des hypothèses restrictives.

2. **Voies de recours ordinaires**. – Il s'agit de l'appel et du recours en annulation. Si les parties ont renoncé conventionnellement à l'appel, la seule voie ouverte est le recours en annulation. Compte tenu de la similitude des procédures, sinon des cas d'ouverture, la partie intéressée peut hésiter entre les deux voies. Aussi l'article 1487 énonce-t-il de façon bienveillante : « La qualification donnée par les parties à la voie du recours au moment où la déclaration est faite peut être modifiée ou précisée jusqu'à ce que la cour d'appel soit saisie. »

A) *L'appel*. – La volonté des parties étant dans la majorité des cas de recourir à une justice simplifiée, il en résulte qu'en pratique la voie de l'appel est rare.

a) Conditions générales. L'article 1482 décide que l'appel est ouvert lorsque les parties n'y ont pas renoncé dans la convention d'arbitrage, et à condition que l'arbitre n'ait pas statué en amiable compositeur, sauf volonté expresse contraire des parties.

Lorsqu'il est ouvert, le délai pour faire appel est d'un mois à compter de la signification de la sentence revêtue de l'*exequatur* (art. 1486, al. 2) et la cour d'appel compétente est celle dans le ressort de laquelle la sentence a été rendue. Sont applicables à la procédure les mêmes règles que celles qui valent pour l'appel contre un jugement.

Ces règles ne valent que pour l'arbitrage interne, puisque les sentences rendues en matière d'arbitrage international sont non susceptibles d'appel. En cette matière, il ne peut en effet être interjeté appel que des décisions qui refusent la reconnaissance ou l'exécution, et de celles qui accordent une telle reconnaissance ou exécution dans les seuls cas prévus par l'article 1502.

b) Renonciation à l'appel. L'exclusion du recours à l'appel dans une clause compromissoire ne risque-t-elle pas de se heurter à l'interdiction générale de renoncer à une voie de recours antérieurement à la naissance d'un litige ? La rédaction actuelle des textes ne permet plus de distinguer au regard de l'article 1482 entre compromis et clause compromissoire ; par conséquent la renonciation à l'appel dans une clause compromissoire est désormais valable sans discussion.

La référence expresse, dans la clause compromissoire ou dans le compromis, à un règlement d'arbitrage excluant *a priori* l'appel, est valablement considérée comme une renonciation à l'appel.

c) Appel et amiable composition. L'article 1482, qui présume que les parties ont voulu se ménager la voie de l'appel quand elles ne l'ont pas formellement exclue, inverse cette présomption lorsque les arbitres ont reçu mission de juger en amiables compositeurs. Cette présomption, que les parties peuvent faire tomber en en décidant autrement, trouve son fondement dans la considération suivante : si les parties ont choisi l'amiable composition c'est essentiellement pour se soustraire à l'application systématique des règles du droit, application qui s'impose au juge.

d) Effets de l'appel. L'appel a un effet suspensif (art. 1486, al. 3) et un effet dévolutif car il confère à la cour d'appel plénitude de juridiction : elle peut annuler ou réformer la sentence et, dans ce cas, la décision de la cour se substituera à celle des arbitres.

En outre, l'article 1488, alinéa 2, prévoit que l'appel entraîne de plein droit recours contre l'ordonnance du juge de l'*exequatur* ou dessaisissement de celui-ci. Le rejet de l'appel (ou du recours en annulation) confère l'*exequatur* à la sentence ou à celles de ses dispositions que la cour n'a pas censurées.

B) *Le recours en annulation.* – Il s'agit du contrôle de la légalité des sentences. Selon l'article 1484 NCPC, il ne peut être exercé qu'en présence d'une renonciation des parties à l'appel et pour l'un des six cas limitativement prévus par ce texte. Ce caractère limitatif s'explique aisément : le recours en annulation est une voie spécifique donnée contre la sentence et toutes les voies spécifiques sont d'interprétation stricte.

a) Cas d'ouverture. Le recours en annulation est ainsi ouvert :

1 / Si l'arbitre a statué sans convention d'arbitrage ou sur convention nulle ou expirée. L'article 1466 dispose que l'arbitre doit statuer sur la validité et les limites de son investiture. Parmi les causes concrètes de nullité de la sentence au titre de ce cas d'ouverture figureront ainsi les hypothèses dans lesquelles :

– La convention d'arbitrage est *absente* ; l'arbitre a statué sans convention d'arbitrage couvrant parfaitement le type de litige soumis, ou bien la convention d'arbitrage ne comprend pas la signature d'une des parties impliquées par la sentence.

– La convention d'arbitrage est *nulle* ; les arbitrages ont été rendus sur des droits indisponibles ou sur la base d'une clause compromissoire n'exprimant pas sans ambiguïté les modalités de désignation des arbitres ; ou parce qu'un vice du consentement est venu l'infecter.

– La convention d'arbitrage est *expirée* ; l'expiration du délai fixé dans un compromis pour que les arbitres rendent leur sentence est toutefois un chef de nullité susceptible de renonciation par acquiescement à la sentence.

2 / Si le tribunal arbitral a été irrégulièrement composé ou l'arbitre unique irrégulièrement désigné. Entrent dans cette catégorie :

– le cas où une sentence serait rendue par une personne morale alors que les personnes morales peuvent seulement organiser un arbitrage ;
– le fait que le tribunal n'ait pas été constitué d'un nombre impair d'arbitres, disposition d'ordre public ;
– la circonstance que l'un des arbitres n'a pas le plein exercice de ses droits civils pour agir.

3 / Si l'arbitre a statué sans se conformer à sa mission. Ce manquement doit être envisagé sous deux angles :

– D'abord, la mission de l'arbitre consiste à trancher un litige, et donc il ne se conforme pas à sa mission s'il tranche *ultra* ou *infra petita* : il n'y a alors pas coïncidence entre le litige soumis et la solution adoptée par excès ou par défaut. Il est vrai que, dans cette dernière hypothèse, l'article 1475 NCPC autorise l'arbitre à compléter sa décision s'il a statué *infra petita* : ceci réserve le recours en annulation aux cas où l'arbitre aurait statué par défaut total d'examen, car il est impossible de compléter une décision qui a tranché sur un objet totalement étranger à celui soumis.

Au regard d'une sentence peu soignée qui statuerait à la fois *infra* et *ultra petita,* question pratique importante mais peu envisagée en doctrine, quelle règle prévaudra de l'article 1475 ou de l'article 1484 ? À notre sens, le recours en annulation étant une voie spécifique aboutissant à une solution radicale, la possibilité ouverte à l'arbitre de compléter sa décision doit d'abord être épuisée.

– Ensuite les parties ont décidé du cadre de cette mission : s'il sera jugé selon les règles du droit ou en amiables compositeurs.

Les arbitres qui décideraient de trancher comme s'ils étaient amiables compositeurs alors qu'ils ont reçu mission d'appliquer les règles du droit se placent sans conteste dans un cas de nullité : non-respect des règles qui s'imposent aux tribunaux pour l'instruction, l'administration des preuves, la tenue des débats, la répartition des dépens, etc. En revanche, l'inverse ne saurait être vrai : sauf si la convention d'arbitrage enferme la mission dans des limites bien précises (recherche d'une autre solution que celle qui découle du droit national par exemple), rien n'empêche les amiables compositeurs de se référer aux règles de droit, celles-ci étant présumées conforme à l'équité.

4 / Si le principe du contradictoire n'a pas été respecté. Étant donné sa portée très générale, le principe du contradictoire est aisément et souvent involontairement mis à mal par les arbitres dénués d'expérience. D'où l'importance du contentieux postarbitral invoquant une violation de ce principe procédural essentiel qui s'impose même dans le cas de l'amiable composition : une sentence ne peut être rendue que si chaque pièce ou élément de preuve ayant concouru à la prise de décision de l'arbitre a fait l'objet d'une communication en temps utile à toutes les parties concernées. Pour que ce cas d'ouverture ne soit pas trop accueillant, il faut que la partie qui invoque le non-respect du contradictoire démontre le préjudice qui en résulte pour elle.

5 / Si la sentence est nulle en application de l'article 1480 qui édicte les règles relatives à la validité de la sentence arbitrale. Par exemple, la sentence doit

être motivée, et il ne doit pas exister de contradiction entre les motifs ; or la partie qui succombe aura toujours tendance à trouver que les motifs sont insuffisants ou contradictoires, ce qui fait de ce cas d'ouverture une possibilité assez large ; toutefois, le juge du contrôle disposant d'un pouvoir d'appréciation étendu en ce qui concerne la motivation, l'utilisation de cette faculté a peu de chance d'aboutir si elle n'est pas réellement fondée.

6 / Si l'arbitre a violé une règle d'ordre public en mettant en œuvre dans sa sentence une solution proscrite par le droit positif dans un domaine de statut légal : droit économique, fonctionnement des organismes sociaux, droit du travail, etc.

b) Délai et procédure. Le délai pour introduire le recours en annulation est le même que celui prévu pour l'appel. La juridiction compétente pour connaître de ce recours est la cour d'appel dans le ressort de laquelle la sentence a été rendue. Les règles applicables à la procédure sont celles relatives à la procédure en matière contentieuse devant la cour d'appel (art. 1487, al. 1). On notera ainsi que, dans un souci de simplification, la réforme de 1980 a fait converger fortement l'appel et le recours en annulation sur le plan du délai pour former le recours et celui de la procédure à suivre.

c) Effets. Lorsque le recours est accueilli, il entraîne l'annulation, en tout ou partie, de la sentence. Il ne s'agit en effet pas, contrairement à l'appel, d'une voie de réformation et le juge ne peut substituer à la sentence arbitrale une décision d'une autre teneur qu'en l'absence de volonté contraire des parties : celles-ci peuvent décider dans la convention d'arbitrage ou au moment de l'instance que, si la sentence est annulée, la cause sera renvoyée à un nouvel arbitrage.

Les effets produits par le recours en annulation sur l'*exequatur* de la sentence sont les mêmes que ceux produits par l'appel, précédemment indiqués. Comme l'appel, le recours en annulation a un effet suspensif.

d) Instance au fond devant la cour d'appel après annulation. Lorsqu'elle statue au fond, la cour d'appel le fait « dans les limites de la mission de l'arbitre » et donc en tant qu'amiable compositeur si les arbitres avaient été désignés dans ce cadre.

3. **Voies de recours extraordinaires.** – Ces voies de recours, qui sont au nombre de deux, ont des caractéristiques communes. Elles ne sont ouvertes que dans les cas prévus par la loi, elles n'ont pas d'effet suspensif et constituent des garanties particulières, tant pour les parties que pour les tiers. Il s'agit du recours en révision et de la tierce opposition.

A) *Le recours en révision.* – Il est envisagé par l'article 1491 NCPC qui en prévoit l'ouverture dans les mêmes cas et les mêmes conditions que pour un jugement, c'est-à-dire lorsqu'une décision est contestée pour avoir été rendue sur la base de faits inexacts. Connaît de ce recours la cour d'appel qui aurait été compétente pour connaître des autres recours contre la sentence.

B) *La tierce opposition.* – Cette voie de recours ne peut être exercée que par une personne qui éprouve un préjudice ou la menace d'un préjudice et qui n'a été ni partie, ni représentée à l'arbitrage.

Le recours en tierce opposition est porté devant la juridiction qui aurait été compétente si les parties n'avaient pas eu recours à l'arbitrage.

Chapitre VII

ASPECTS INTERNATIONAUX
DE L'ARBITRAGE

La présentation de l'arbitrage serait incomplète si quelques rappels ne permettaient au lecteur de replacer l'institution dans une perspective internationale, c'est-à-dire sous les trois angles d'observation du droit comparé de l'arbitrage interne (I), des incidences du droit communautaire (II) et de l'arbitrage international proprement dit qui est celui où sont mis en jeu des intérêts du commerce international et/ou sont mis en présence des ressortissants de pays différents (III).

I. – Droit comparé de l'arbitrage interne

Il est utile de connaître quelles sont les dispositions des droits étrangers principaux en matière d'arbitrage, soit afin de poursuivre l'exécution dans un pays des sentences rendues dans un autre, soit pour faire élection de la loi d'un pays étranger pour un arbitrage. Pour les besoins d'un passage en revue rapide nous utiliserons une grille basée sur les grands sujets précédemment évoqués : place de l'arbitrage, sources, conventions, arbitres, instance, sentence, etc.

1. **Place de l'arbitrage dans les institutions.** – Cette place est partout croissante, ainsi que l'atteste l'existence dans la plupart des pays de changements législatifs récents plus ou moins importants destinés à

adapter le droit de l'arbitrage à l'évolution économique.

2. **Sources.** – Le statut de l'arbitrage est quasi généralement légal. Il forme rarement un code matériellement individualisé (Tunisie). Le plus souvent les règles
compromissoires sont incorporées à la codification
procédurale existante (Nouveau Code de Procédure
civile, *Zivilprozessordnung,* etc.), mais il arrive qu'on
les trouve à des emplacements inattendus (Madagas-
car, Code des investissements, 18 juin 1985).

La dominante légale de l'institution est partout vé-
rifiée même si le profil de l'arbitrage, dans les grands
pays de *Common law,* est fortement déterminé par des
arrêts importants.

Les pays qui se sont dotés récemment d'un instrument législatif en matière d'arbitrage se sont très souvent inspirés de la loi type de la CNUDCI, ce qui se traduit par une forte tendance à l'uniformisation des
règles de principe.

3. **Pluralité des conventions arbitrales.** – Les droits
font le plus souvent une distinction entre la convention
arbitrale précédant la naissance d'un litige (clause
compromissoire) et celle conclue après (compromis), à
l'instar du droit français, soit pour interdire la clause
compromissoire dans certaines matières, soit pour soumettre le compromis à des règles de forme et de fond
plus rigoureuses (Belgique, Espagne, etc.). Cependant
des droits importants (Allemagne) ne font pas de distinction entre les conventions arbitrales selon qu'elles
précédent ou non la survenance d'un litige.

4. **Caractère juridictionnel de l'arbitrage et litiges
arbitrables.** – La reconnaissance d'un caractère juri-

dictionnel à l'arbitrage est une constante : plus qu'un simple contrat, l'arbitrage est un mode de régulation des conflits.

Les parties ne sont autorisées dans tous les cas à soumettre à l'arbitrage que les droits dont elles ont la libre disposition mais la configuration de l'ordre public est si spécifique de pays à pays que des règles générales peuvent difficilement être avancées.

5. **Autonomie de la clause compromissoire.** – Rappelons que cette autonomie signifie que, si un contrat comprenant une clause compromissoire est nul, ceci n'entraîne pas nécessairement la nullité de la clause. Inversement, une clause compromissoire nulle est seulement considérée comme non écrite dans un contrat pour le reste valable.

L'autonomie de la clause compromissoire n'est pas admise partout dans les mêmes termes clairs qu'en France : ainsi, dans certains pays (Allemagne), cette clause est considérée comme l'accessoire du contrat, dans d'autres (Angleterre), on préfère parler de « séparabilité » qui aboutit à une autonomie nuancée et jurisprudentiellement complexe selon que la convention d'arbitrage est considérée comme valable *ab initio* ou non.

6. **Désignation des arbitres.** – La règle de libre choix de l'arbitre est quasi générale dès lors que les arbitres jouissent de la pleine capacité juridique. Les législations qui imposent des règles supplémentaires telles que l'exigence d'une appartenance nationale ou religieuse (Arabie Saoudite), une qualification professionnelle d'avocat (Espagne), ou excluent les magistrats sont en minorité.

La règle de l'imparité des arbitres, qui paraît ne présenter que des avantages pour dégager des majorités dans les sentences, n'est pourtant pas générale. Ainsi les droits germaniques n'excluent-ils pas l'hypothèse inverse. En cas d'imparité (trois arbitres dans l'immense majorité), la fonction de l'arbitre désigné par les deux autres (ou très généralement par l'autorité judiciaire en cas de désaccord) peut varier : « tiers-arbitre » devant se référer à l'opinion d'un des deux autres, « umpire » tranchant le litige indépendamment des deux précédents ou plus simplement troisième arbitre siégeant collégialement avec les deux autres.

Rappelons enfin que certains droits admettent que l'arbitre désigné par une partie se comporte en mandataire de celle-ci, c'est-à-dire en « arbitre partisan » (pays nordiques et anglo-saxons).

7. **Compétence sur la compétence.** – En Europe « continentale » l'arbitre peut se prononcer sur sa compétence : il définit les limites de son investiture. Il en va différemment dans les pays de *Common law* dans lesquels une partie peut saisir une juridiction d'État aux fins de statuer préalablement sur la validité de la clause compromissoire et, partant, sur la compétence de l'arbitre.

8. **Instance.** – La fixation des règles de procédure, répondant au désir de rapidité et de souplesse qui motive le recours à l'arbitrage, dépend, sauf exception, de la volonté des parties qui définissent la latitude plus ou moins grande que les arbitres peuvent prendre par rapport au droit procédural commun.

Dans le cas où les parties n'ont rien stipulé, les arbitres sont le plus souvent libres d'organiser le procès comme ils l'entendent sauf à respecter les règles fondamentales du contradictoire.

La plupart des législations font ainsi une place à l'amiable composition, qui traduit la forme la plus nette d'indépendance vis-à-vis des règles du droit concernant la procédure comme le fond. On compte ainsi deux groupes de pays : ceux qui admettent deux formes d'arbitrage (amiable composition, arbitres tenus par les règles du droit) et ceux qui ne connaissent qu'une seule forme d'arbitrage ; dans ce dernier cas l'alignement s'effectue le plus généralement sur une amiable composition.

9. **Sentence.** – C'est le principe de la motivation des sentences qui introduit la division la plus marquée entre les pays qui l'exigent et ceux pour lesquels il ne s'agit que d'un usage de courtoisie à l'endroit des parties. Règne de plus l'absence d'uniformité du concept de motivation entre les différents droits.

Les règles spécifique du droit international de l'arbitrage prennent alors tout leur intérêt afin d'éviter que des sentences rendues dans des pays où la motivation n'est pas obligatoire soient dépourvues de toute efficacité dans les pays où elle est exigée.

L'exécution provisoire de la sentence malgré l'exercice d'une voie de recours est très diversement admise.

En revanche, l'exécution forcée de la sentence n'est partout concevable que lorsque l'autorité judiciaire a accordé son *exequatur,* seul élément susceptible de conférer à la décision la force exécutoire d'un jugement. Les considérations pour lesquelles un *exequatur* peut être refusé sont diverses mais se limitent généralement à une violation de l'ordre public ou au mépris d'une nullité.

10. **Voies de recours.** – En ce qui concerne l'appel, différents systèmes sont représentés : appel inconnu,

appel porté devant une autre juridiction arbitrale, appel porté devant les juridictions d'État, cas de loin le plus fréquent. Quant à la possibilité d'exclusion même de l'appel par les parties, elle est très généralement acceptée. En outre, certains droits vont jusqu'à exclure toute possibilité d'appel lorsqu'un intérêt national n'est pas en jeu (Belgique).

La plupart des pays admettent aussi le recours en annulation, conçu comme le moyen pour l'ordre juridique commun de rester l'*ultima ratio* du droit ; les cas d'ouverture se retrouvent à peu près identiques dans tous les pays quoique formulés de façon diversifiée (absence de convention arbitrale, tribunal arbitral non régulièrement constitué, arbitrage *ultra* ou *infra petita,* non-respect de l'ordre public, non-respect du contradictoire, absence de motivation ou inégalité entre les parties, contrariété de motifs, etc.

11. **Exécution des sentences arbitrales étrangères.** Les pays signataires de la Convention de New York du 10 juin 1958 se sont engagés à reconnaître les sentences arbitrales rendues à l'étranger. Ainsi sera-t-il paradoxalement plus facile dans un certain nombre de pays de faire exécuter une sentence arbitrale étrangère qu'un jugement étranger : le cas des États-Unis est topique à cet égard sachant que l'exécution d'un jugement français aux États-Unis relève d'une procédure complexe tandis que l'exécution d'une sentence arbitrale française est assez aisée à obtenir.

II. – Le droit communautaire et l'arbitrage

L'article 220 du traité CEE dispose que « les États membres engageront entre eux, en tant que de besoin, des négociations en vue d'assurer en faveur de leurs

ressortissants la simplification des formalités auxquelles sont subordonnées la reconnaissance et
l'exécution réciproques des décisions judiciaires ainsi
que des sentences arbitrales ».

Pour autant la Convention de Bruxelles du 27 septembre 1968 sur la libre circulation des jugements s'est
limitée aux décisions judiciaires et aux actes authentiques à l'exclusion des arbitrages au motif que les
conventions existant en Europe en matière d'arbitrage
étaient satisfaisantes. Le droit communautaire s'impose à l'arbitre comme à tout juge, mais, en revanche,
l'arbitre ne peut, au contraire d'un juge, demander à
la cour de justice de la Communauté européenne
(CJCE) d'interpréter une disposition du droit communautaire.

1. **Respect de l'ordre public communautaire.** – Il
est clair qu'un arbitrage est susceptible de déboucher
volontairement ou involontairement sur une solution
susceptible de faire échec aux principes communau-
taires de libre concurrence ou de libre circulation des
marchandises. La commission a toujours considéré
que le droit communautaire doit être respecté même
par un tribunal arbitral, car il constitue un élément du
droit positif et qu'un tribunal arbitral ne saurait avoir
une compétence plus étendue qu'un tribunal national.
Ainsi l'arbitre pourra-t-il se prononcer sur une infraction aux règles de la concurrence mais pas sur une faculté d'exemption car l'octroi de ces exemptions est de
la compétence exclusive de la Commission.

Cette position ne peut concerner que les arbitrages
internes aux pays membres ou mettant en cause un intérêt du commerce entre pays membre, puisqu'en arbitrage international la règle communautaire équivaut à
une loi étrangère.

2. Renvoi préjudiciel au titre de l'article 177 CEE. L'article 177 du traité CEE permet aux juridictions nationales de saisir la CJCE en vue de l'interprétation d'une disposition du droit communautaire. Cette faculté est pourtant refusée aux arbitres qui ne sont pas considérés comme des *juridictions* par l'ordre communautaire

III. – L'arbitrage international

Depuis le début du XXe siècle, le développement du commerce international a amené les négociants concernés à recourir de plus en plus à l'arbitrage en cas de différend.

Dans la mesure où il n'existe pas de juridictions internationales de droit privé, de nombreux litiges, mettant en conflit des entreprises de nationalités différentes, ont ainsi été résolus par la voie de l'arbitrage international, les demandeurs étant très réticents pour avoir recours à des tribunaux d'un autre pays que le leur, et encore plus hésitants si leur contradicteur est un État ou une entreprise publique : on rappellera pour l'anecdote, sans multiplier les exemples, que l'affaire Westland, qui portait sur la vente d'hélicoptères au Moyen-Orient, ou l'affaire Texaco, impliquant des grandes compagnies pétrolières, ont été réglées par voie d'arbitrage.

Les principaux centres d'arbitrage internationaux se trouvent à Paris (CCI), New York (AAA) et Londres (LCIA). Le plus important est la Cour internationale d'arbitrage de la Chambre de commerce internationale (CCI) à Paris, qui reçoit plus de 500 requêtes d'arbitrage par an, chiffre en progression régulière, 20 % des litiges intéressant un État ou une entreprise étatique.

Constatant la faveur croissante pour l'arbitrage, la France a réformé, par le décret du 12 mai 1981, les textes réglementant l'arbitrage international, dont les dispositions font l'objet des articles 1492 à 1507 du Nouveau Code de procédure civile.

1. **Critères de l'arbitrage international.** – La définition de l'internationalité est d'importance majeure sur le plan pratique, puisque, suivant le cas, il y aura lieu d'appliquer les règles de l'arbitrage interne ou international, voire de l'arbitrage interne d'un pays étranger.

A) *Critère économique des relations d'affaires internationales.* La « jurisprudence *Matter* » (Cass. civ., 17 mai 1927, *DP,* 1928. I. 25) a admis qu'il suffisait, pour être international, que le contrat « produise un mouvement de flux au-dessus des frontières ».

Cette conception économique et libérale de l'internationalité de l'arbitrage a été consacrée en France par l'article 1492 NCPC, lequel dispose : « Est international l'arbitrage qui met en cause des intérêts du commerce international », formule à prendre dans son sens le plus large.

B) *CNUDCI.* – La loi type de la CNUDCI sur l'arbitrage commercial international (1985) a retenu la définition suivante :

« Un arbitrage est international si :

« *a)* Les parties à une convention d'arbitrage ont, au moment de la conclusion de ladite convention, leur établissement dans des États différents ; ou

« *b)* Un des lieux ci-après est situé hors de l'État dans lequel les parties ont leur établissement :

– le lieu de l'arbitrage, s'il est stipulé dans la convention d'arbitrage ou déterminé en vertu de cette convention ;

– tout lieu où doit être exécutée une partie substantielle des obligations issues de la relation commerciale ou le lieu avec l'objet du différend a le lien le plus étroit ; ou

« *c)* Les parties sont convenues expressément que l'objet de la convention d'arbitrage a des liens avec plus d'un pays. »

Il reste que, lorsque l'on conclut une convention d'arbitrage, il faut vérifier quels sont les critères d'internationalité et de commercialité retenus dans les autres pays concernés.

2. **Droit applicable.** – La plupart des pays admettent que le principe directeur pour déterminer la loi applicable en matière d'arbitrage est celui de l'autonomie de la volonté. Soit les parties ont déterminé la loi applicable, soit elles ont laissé le choix à l'institution d'arbitrage ou encore aux arbitres eux-mêmes.

Beaucoup considèrent que le droit de l'arbitrage international est « anational », qu'il doit être « délocalisé », et que les arbitres, si aucun droit national n'a été précisé, doivent appliquer la *lex mercatoria,* c'est-à-dire les principes et usages du commerce.

En pratique, il faut distinguer la loi qui régit l'arbitrage lui-même et celle qui est applicable au fond du litige.

A) *Loi de la procédure. –* Il est nécessaire, pour les arbitres, de connaître la loi applicable à l'arbitrage, la *lex arbitri.*

Celle-ci est parfois fixée par la convention d'arbitrage, mais la plupart du temps, on retient la *lex fori,* c'est-à-dire celle du lieu du siège de l'arbitrage, ce qui est prévu dans la Convention de New York et dans la loi type de la CNUDCI.

En France, l'article 1494 NCPC consacre l'autonomie de la volonté, en reconnaissant le choix de la convention d'arbitrage ou de l'arbitre. L'article 1495 précise que, si la loi française a été choisie, sauf convention particulière, les principales règles de l'arbitrage interne s'appliquent.

La détermination de la loi applicable à la procédure et du lieu de l'arbitrage sont essentiels ; de préférence, les intéressés retiendront la loi du pays où doit se dérouler l'arbitrage. Le choix doit être effectué avec soin, dans la mesure où les dispositions sont différentes souvent d'État à État, et qu'il faut se prémunir des conflits susceptibles de surgir ultérieurement durant la procédure d'arbitrage, ou lors de l'exécution de la sentence, et dans toutes les hypothèses préférer un endroit qui se prête matériellement à l'arbitrage.

B) *Loi applicable au fond du litige.* – Aucun lien n'est nécessaire entre l'objet du contrat et la loi applicable : dans l'affaire « Compagnie nouvelle France navigation c/ Compagnie nord-africaine de navigation (Cass. civ. 1re, 11 janvier 1972), où il s'agissait d'une location de bateaux par un armateur à un affréteur concernant uniquement l'ordre juridique et économique français, la Cour de cassation a considéré que le droit anglais était applicable, dans la mesure où les parties l'avaient prévu dans la clause compromissoire.

Lorsque les parties n'ont pas déterminé la loi applicable au fond, il est souvent retenu la *lex fori* du siège arbitral. Pourtant l'observation de la pratique enseigne que les arbitres, le plus souvent, si la convention les y autorise, auront tendance à juger en équité, par conséquent sans référence nécessaire à une loi particulière.

La plupart des conventions internationales et la loi type de la CNUDCI prévoient d'ailleurs que, à défaut de choix fait par les parties, les arbitres tranchent les litiges conformément aux règles de droit qu'ils estiment appropriées : droits nationaux, droit international, *lex mercatoria.*

En France, l'article 1496 NCPC confirme ce principe en ajoutant que, dans tous les cas, l'arbitre tient compte des usages du commerce.

3. **Convention d'arbitrage.** – En matière d'arbitrage international, on ne distingue pas la clause compromissoire du compromis. Les principes généraux de la liberté des contrats prédominent.

A) *Autonomie de la convention d'arbitrage.* – Il est admis que l'accord compromissoire possède une complète autonomie juridique excluant qu'il puisse être affecté par une éventuelle invalidité de la convention principale. Ce principe, constamment réaffirmé par la Cour de cassation, a été repris par la plupart des États étrangers. Dans l'affaire Hecht c/ Buysmans (Cass. civ. 1re, 4 juillet 1972, *Rev. arb.,* 1974.89), la société Buysmans, qui avait donné au sieur Hecht, résident français, un mandat de vente pour des produits alimentaires, considérait que la loi française était applicable et qu'en conséquence, puisqu'il s'agissait d'un contrat mixte, la clause compromissoire était nulle ; la Cour de cassation a considéré que, le contrat ayant un caractère international, l'accord compromissoire présentait une complète autonomie, et que la clause était, de ce fait, applicable.

B) *Validité des conventions d'arbitrage.* – Les règles classiques du droit international privé concernant les contrats s'appliquent aux conventions d'arbitrage.

La Convention de New York exige qu'il y ait une convention écrite, mais le droit français admet l'acceptation tacite et même la convention dite « par référence », notamment par rapport à des contrats types, des groupes de contrats ou des contrats consécutifs.

Les clauses imparfaites, incomplètes ou se contentant d'exprimer le désir de recourir à l'arbitrage en cas de conflit sont généralement admises et c'est l'arbitre qui statue sur la validité et les limites de son investiture.

C) *Effets des conventions à l'égard des tiers.* – La convention d'arbitrage peut avoir des effets obligatoires, non seulement sur les parties qui l'ont signée, mais aussi sur celles qui ont été représentées ou qui sont impliquées dans le litige, dès lors qu'elles peuvent être présumées avoir accepté la clause d'arbitrage : cette extension des effets des conventions d'arbitrage peut être appliquée à des sociétés faisant partie du même groupe lorsqu'elles ont participé à une opération économique commune et que la clause compromissoire peut être présumée avoir été acceptée tacitement. À titre d'exemple, la cour d'appel de Paris (1re ch., 21 octobre 1983) dans l'affaire Isover c/ Dow Chemical a approuvé la sentence qui avait considéré que Dow Chemical (États-Unis) était engagé par la clause compromissoire signée par une filiale, dans la mesure où il s'agissait d'un groupe dans lequel la société mère exerçait un contrôle absolu, qu'elle devait donc être liée par cette clause, en dépit de la personnalité juridique distincte. Dans le même sens, il a été décidé que la clause compromissoire, insérée dans un contrat concernant des travaux, pouvait s'imposer au sous-traitant d'une partie des travaux (Paris, 20 janvier 1988, vsk c/ sbi, *Rev. arb.,* 1990, p. 653.).

Cette brèche au principe de l'effet relatif des contrats ne permet pas pour autant l'intervention volontaire ou l'appel en garantie.

4. **Arbitrabilité et ordre public.** – Lors d'arbitrages internationaux, des questions d'ordre public français et international peuvent être soulevées.

A) *Ordre public français et ordre public international.* – Par exemple, l'article 2060 du Code civil prohibe l'arbitrage en matière de contestations intéressant les collectivités publiques ou établissements publics ; en fait, il est admis que, sur le plan international, cette interdiction ne s'applique pas dès lors qu'il s'agit d'un contrat international passé pour les besoins et dans les conditions conformes aux usages du commerce international : dès qu'il s'agit d'un arbitrage international, l'ordre public national cède le pas à l'ordre public international. Certains droits litigieux restent néanmoins indisponibles ou sont opposables à la sentence si la loi française est applicable à l'arbitrage : droit de la famille, du locataire, du salarié, du consommateur.

B) *Teneur de l'ordre public international.* – L'ordre public international peut lui aussi réduire le champ de l'arbitrabilité : on peut citer la corruption, l'incapacité, le droit de la concurrence, le droit communautaire, le droit économique international. En pratique, il y a peu de restrictions liées à l'ordre public international ; en revanche, il faut vérifier les droits applicables dans les pays concernés pour s'assurer qu'il n'y a pas de prohibition qui interdirait ultérieurement l'exécution de la sentence.

5. **Tribunal arbitral.**

A) *Constitution du tribunal.* – L'article 1493 NCPC précise : « Directement, ou par référence à un règlement d'arbitrage, la convention d'arbitrage peut désigner le ou les arbitres ou prévoir les modalités de leur désignation. »

Là encore, le droit français de l'arbitrage international s'est montré libéral en donnant une grande latitude aux parties. Un arbitre peut être de n'importe quelle nationalité, il peut même être une personne morale (ce qui est très rare). Sauf si la loi choisie pour la procédure est la loi française, la règle de l'imparité ne s'impose pas, mais cette solution est fortement recommandée. Les parties peuvent désigner elles-mêmes les arbitres dans le cadre d'un arbitrage *ad hoc,* ou le faire désigner par une personne physique tierce, ou encore, et c'est le cas le plus fréquent, par une institution d'arbitrage.

La plupart des règlements d'arbitrage et des lois nationales exigent que les arbitres soient indépendants des parties et impartiaux. Le non-respect de ces obligations impératives entraînerait la récusation de l'arbitre, ou rendrait l'exécution de la sentence aléatoire.

Si l'arbitrage se déroule en France, ou si les parties ont choisi la loi de procédure française, en cas de difficulté pour la constitution du tribunal arbitral, sauf clause contraire, le président du TGI de Paris est compétent. Généralement, lorsqu'il s'agit d'un arbitrage institutionnel, les litiges sont tranchés par les institutions, en application de leur règlement. Comme pour l'arbitrage interne, dès lors que le tribunal arbitral est constitué, les juridictions de droit commun sont incompétentes pour connaître des litiges soumis aux arbitres.

B) *Instance arbitrale.* – Le déroulement de l'instance arbitrale en matière internationale est très proche de celui applicable dans les arbitrages internes, notamment si la loi applicable et les règles de procédure stipulées sont françaises, auquel cas s'imposent les dispositions des articles 1492 et suivants NCPC.

La plupart du temps, la procédure est *écrite,* se fait par voie d'échanges de mémoires complétés par des audiences de procédure et de plaidoiries ; parfois s'y ajoutent des audiences de témoignages.

Selon le droit applicable, et l'origine des parties, la procédure peut être accusatoire ou inquisitoire, et les règles d'administration de la preuve différentes :

– Sur le plan de la *procédure,* dans les pays de droit coutumier, tels l'Angleterre ou les États-Unis, chaque partie peut examiner et contester les arguments de son contradicteur, et le juge doit rechercher la vérité des faits ; alors que, dans les pays de tradition latine, le juge est neutre, dirige les débats, mais est tenu de se prononcer uniquement sur les prétentions des parties ; c'est lui qui pose les questions aux parties ;

– Sur le plan de la *preuve,* dans les pays de *Common law,* et surtout aux États-Unis, est pratiquée la démarche de *discovery,* dans laquelle les parties doivent révéler spontanément toutes les pièces concernant l'affaire, qu'elles soient à l'avantage ou au détriment de la partie concernée ; au contraire, dans les pays de tradition romaniste, le mode privilégié est celui de la preuve par écrit, et, d'ailleurs, les parties peuvent ne communiquer que les pièces qui leur sont favorables.

Si la loi française est applicable, ou si la sentence doit être exécutée en France, les arbitres doivent s'assurer que le principe de la contradiction est strictement respecté, cette obligation étant élevée dans la plupart des pays et dans les règlements d'arbitrage au rang de principe directeur et souvent considérée comme une règle d'ordre public.

6. **Sentence arbitrale.** – La finalité de toute procédure arbitrale est de déboucher sur une sentence qui soit exécutoire, sous réserve de voies d'appel ou de re-

cours. Le prononcé de la sentence est précédé du délibéré des arbitres, qui, en général, se réunissent et votent pour arrêter leur décision. Le droit français, qui prévoit des règles strictes de forme pour les sentences en arbitrage interne, n'a pas d'exigence particulière en matière internationale.

En pratique, la sentence doit être écrite, puisqu'une minute accompagnée de la convention d'arbitrage doit être déposée au TGI pour obtenir l'*exequatur*. Dans le cas où aucun règlement ou loi nationale de procédure ne l'impose – l'article 1495 NCPC donne aux parties la possibilité de prévoir dans leur convention d'arbitrage que l'arbitre sera dispensé de motiver sa sentence –, il est néanmoins souhaitable de motiver la sentence, de la dater et de la faire signer par les arbitres.

La sentence arbitrale internationale est un acte juridictionnel, elle peut être préliminaire, avant dire droit, provisoire, partielle ou définitive. Elle ne doit pas être confondue avec une transaction, qui est conventionnelle, bien que certains pays reconnaissent la « sentence d'accord entre les parties ».

Si la convention des parties a conféré à l'arbitre la mission de statuer en amiable compositeur (art. 1497 NCPC), celui-ci sera très libre dans sa décision et dans la rédaction de sa sentence, s'assurant simplement qu'il ne viole pas l'ordre public international. Si, en revanche, l'arbitre est tenu de statuer en droit, il s'attachera à vérifier la conformité de la motivation et de la décision avec la ou les lois applicables. Dans tous les cas, il prendra les dispositions pour que, tant sur la forme que sur le fond, la sentence puisse être exécutée dans le, ou les, pays concernés.

En France, la sentence arbitrale internationale a, dès qu'elle est rendue, l'autorité de la chose jugée relativement à la contestation qu'elle tranche (art. 1476 NCPC), et ce, quel que soit le droit applicable, ou le lieu où elle a été rendue. Les règles sur l'exécution provisoire des jugements sont également applicables aux sentences arbitrales internationales.

7. **Exécution et voies de recours.** – La plus grande partie des pays industrialisés ont ratifié la Convention de New York, s'engageant ainsi à reconnaître et exécuter les sentences arbitrales rendues sur le territoire d'autres États, même si ces sentences ne sont pas considérées comme sentences nationales dans l'État où leur reconnaissance et leur exécution sont demandées.

En France, le décret du 12 mai 1981 a simplifié les règles concernant la reconnaissance, l'exécution et les voies de recours contre les sentences arbitrales rendues à l'étranger, ou en matière d'arbitrage international.

A) *Reconnaissance et exécution.* – Les sentences arbitrales sont *reconnues* et déclarées *exécutables* en France si leur existence est établie par celui qui s'en prévaut, sous réserve qu'il n'y ait aucune contradiction manifeste avec l'ordre public international (art. 1498 NCPC). Il suffit de prouver l'existence de la sentence (production de l'original de la sentence accompagné de la convention d'arbitrage).

B) *Voies de recours.* – La décision qui refuse la reconnaissance ou l'exécution est susceptible d'appel (art. 1501 NCPC) : ce cas est rarissime, contrairement à l'appel engagé par le « perdant » contre la décision ayant autorisé l'exécution.

Si la sentence a été rendue en *France,* l'intéressé agira en recours en *annulation* de la sentence (art. 1504 NCPC), alors que si la sentence a été rendue à l'*étranger,* il agira en recours en *inopposabilité* (art. 1502 NCPC), qui n'annulera pas la sentence

– celle-ci restera valable à l'étranger –, mais réduira à néant la décision de reconnaissance, empêchant ainsi l'exécution de la sentence en France.

Les recours en annulation et en inopposabilité sont prévus par l'article 1502 NCPC qui énumère cinq cas de recours à l'encontre des décisions qui accordent la reconnaissance ou l'exécution des arbitrages internationaux :

– 1er cas : « Si l'arbitre a statué sans convention d'arbitrage, ou sur convention nulle ou expirée. » Le juge sera amené à vérifier l'existence de la convention d'arbitrage et sa validité en fonction des règles de droit qui étaient applicables, si le tribunal s'est déclaré à tort compétent ou incompétent, s'il n'y avait pas de vice du consentement, si le délai imparti pour rendre la sentence a été respecté...

– 2e cas : « Si le tribunal arbitral a été irrégulièrement composé, ou l'arbitre unique irrégulièrement désigné. » Le juge vérifiera que la désignation a été conforme aux stipulations de la convention d'arbitrage, du règlement institutionnel, ou de la loi applicable, et que celui-ci n'eut pas été incapable au regard de la loi personnelle de l'arbitre.

– 3e cas : « Si l'arbitre a statué sans se conformer à la mission qui lui avait été conférée », par exemple en cas de non-respect de la mission prévue contractuellement, ou eu égard à la loi applicable ; si la loi française est applicable, il s'agira des cas de non-respect des délais, des procédures d'instruction, de la non-motivation de la sentence, de décisions *ultra petita*...

– 4e cas : « Lorsque le principe de la contradiction n'a pas été respecté. » Est ici visé un principe directeur du procès en droit français ; cette règle, flexible en matière d'arbitrage international, doit permettre à chacune des parties de faire valoir ses arguments, et de pouvoir discuter ceux de l'autre ; les pièces doivent être communiquées, des délais suffisants accordés pour préparer la défense...

– 5e cas : « Si la reconnaissance ou l'exécution sont contraires à l'ordre public international. » La notion d'ordre public international reste floue et est rarement retenue, si ce n'est dans des cas extrêmes : violation d'accords internationaux, déni de justice, infractions au droit de la concurrence...

Bien que l'expérience enseigne que les cours d'appel donnent rarement suite aux recours, qu'ils soient en inopposabilité ou en annulation, ces cinq cas doivent être bien connus des parties, de leurs conseils et des arbitres afin d'éviter que les sentences rendues ne soient annulées ou dépourvues d'effet.

BIBLIOGRAPHIE

Ancel E., Arbitrage, *J. Cl. Proc. civ.*, fasc. 1022 et 1224.

Antaki N., *Le règlement amiable des litiges*, Québec, Yvon Blais, 1998.

Boisséson M. de, *Le droit français de l'arbitrage national et international*, Joly, 1990.

Bonafé-Schmitt J.-P., *La médiation : du droit imposé au droit négocié ?*, Bruxelles, Publication des Facultés universitaires Saint-Louis, 1996.

Clay Th., *L'arbitre*, Dalloz, Paris, 2001.

Cuniberli G. et Kapler Ch., Note sous Cass. civ. I, 26 juin 2001, *JCPN(E)*, n° 6, 7 février 2002.

Fouchard Ph., Gaillard E. et Goldman, *Traité de l'arbitrage commercial international*, Litec, 1996/05.

Jarrosson Ch., *La notion d'arbitrage*, LGDJ, 1987, 637 p. ; Le nouvel essor de la clause compromissoire après la loi du 15 mai 2001 sur les Nouvelles Régulations économiques (NRE), *Sem. jur.*, 2001, p. 1317, n° 27.

Loquin E., Arbitrage, *J. Cl. com.*, fasc. 214 et 215.

Moissinac d'Harcout, *La pratique de l'arbitrage au service de l'entreprise*, Economica, 2002.

Opetit B., Théorie de l'arbitrage, in *Droit et modernité*, Paris, PUF, coll. « Doctrine juridique », 1998.

INDEX

125

TABLE DES MATIÈRES

Imprimé en France
par Vendôme Impressions
Groupe Landais
73, avenue Ronsard, 41100 Vendôme
Avril 2003 — N° 50 129